庫

光文社文庫プレミアム

長い長い殺人

宮部みゆき

KOBUNSHA

光　文　社

光文社文庫で長く愛読されている名作を、読みやすい
文字に組み直し、新たなカバーデザインで、「光文社
文庫プレミアム」として刊行いたします。

目次

刑事の財布

1

私は深夜に起こされた。

まず、足音が聞こえた。私のあるじの重い足音である。座敷の畳を踏んでこちらにやってくる。

あるじはこのところとみに体重が増えたので、聞き間違えることはない。以前は時々、あるじには無断で私をのぞきにやってくる、あるじの細君の足音と勘違いしたこともあったのだが。

あるじは上着を取りあげ、袖《そで》を通した。するりという音がして私は少し揺さぶられ、然るべくして、あるじの胸の上に落ち着いた。

いつもの場所である。私よりもあるじの心臓に近いところにいるのは、あるじの警察手帳だけである。私は彼と交信したことはない。彼は私よりもはるかに年長であり、常に忙しいか忙しいふりをしており、職業柄沈黙が好きなのである。

「どの辺ですか」

あるじの細君の声がした。眠たげである。

あるじは「都内だ」とだけ返事をした。この夫婦はいつもこの会話をする。ある種の儀式であろうか。

「お金、大丈夫ですか」

「とりあえずは、いい。必要ならおろすから」

細君は黙っている。言葉どおり、あるじは私を取り出して中身を確認することもしなかった。

私はあるじの財布である。

「いってらっしゃい」

細君の声に送られて、あるじと私は家を出た。外には師走《しわす》の風が吹いている。あるじのコートを吹き抜ける。私には見ることができないが、してみると、あるじのコートはかなりくたびれているのであろう。

あるじはゆっくりと歩いていく。いつもそうである。気が進まないのかもしれず、あるいは疲れ切っているのかもしれぬ。

あるじは私をふくらますために、犯罪者を捕らえる仕事をしているのだ、という。他人に尋ねられれば、必ずそう返答をする。

よしんばそれがあるじ一流の照れが言わせるものだとしても、私はあるじに同情する。私はふくらんだためしがない。


私とあるじとは長いつきあいである。正確な年月を数えてみたこともなく、またそれは私には不可能なことであるが、おおよそ七年ほどになるらしい。

それがわかるのは、ついさきごろ、あるじが細君とこんな会話をしていたからである。

「そのお財布、だいぶくたびれてきたわね」

「そうかい」

そのときあるじは、私の中身を確かめてからいつもの場所に納めるつもりだったらしく、私を手に持っていた。細君は近づいてくると、私をあるじの手から取りあげた。

「角《すみ》っこが破けてるわ。白っちゃけてきてるし」

「まだまだ使える」

「これ、いつプレゼントしたものだか覚えてます？　お父さんの四十歳のお誕生日よ」

細君は、あるじを「お父さん」と呼んでいる。

「そうだったか？　父の日だったと思っていた」

細君は声をたてて笑った。

「あの年は、涼子《りょうこ》と相談して、お誕生日と父の日のプレゼントをいっしょにしちゃったんですよ。だって、このお財布、高かったんだもの」

涼子とは、あるじの娘の名前である。私はよく覚えている。私が仲間たちと共にならんでいたショーケースを、生真面目にのぞきこんでいたあるじの娘の顔を。あのときはまだ子供だった。その涼子嬢は、来春大学に進学する。

「大きな買い物をした年だったしな」

あるじはぼそりと言った。細君は、ええ本当に、と答えた。

私を買ってくれたそのすぐあと、あるじの一家は家を買った。住宅ローンもそのときに始まった。

それが今、行き詰まっている。非常に苦しいところまできてしまっている。もともと、この家は、あるじの力では支え切れぬ高い買い物だったのかもしれぬ。

あるじの心臓の近くにはべり、金の出入りを逐一見てきた私には、その事情がよくわかる。だから、このやりとりが、あるじ夫婦にとって重いものであることも承知している。

あるじ夫婦は、ここひと月ほど、その家を手放そうかという相談を頻繁《ひんぱん》にしている。

あるじは、手放すことはないという。細君は売ろうという。

「手遅れにならないうちに」と。その話はいつまでたっても平行線で、たいていはあるじが仕事にでかけていくことでうやむやに終わりとなる。

七年のあいだに、私は少しく擦《す》り切れた。あるじも、あるじの家計も擦り切れていた。

「今年のお誕生日、お財布にするわ。本革の、うんといいやつ。これ、七年も使ってくれれば充分よ」

細君は私をあるじの手に返した。

「まだ使えるよ」と、あるじは言った。「それとも、古い財布を使っているとみっともないから嫌か」

細君はなにも言わない。

「家を買ったら財布も買えないほど貧乏になったなんて、笑い話にもならんな」

しばらくしてから、細君は小さく言った。

「そんな意地悪な言い方をしなくたって」

細君は、ただ金の心配をしているだけではない。あるじのことを思っている。負担の大きいあるじの仕事を思っている。あるじが健康を損ないつつあることを思っている。それでなくても、刑事は身を磨《す》り減《へ》らす職業であるのだから。

それならせめて家を手放して、少しでもあるじを軽くしてやりたいと思っている。

あるじにもそれはわかっているはずだと、私は思う。

そして、あるじも怯《おび》えていると、私は感じる。自分自身のことを。そんなとき、あるじは私の納まっているあたりをそっとなでさする。つまりは心臓の上を。

そして溜め息をもらす。

今夜もタクシーに揺られながら、あるじは何度かそれをした。私があるじの擦り切れつつある心臓のことを考えていると、あるじは車を降りた。

2

「部長刑事《デカちょう》」

と、若々しい声が呼びかけてきた。あるじは足をとめた。

「やあ、遅くなった。ごくろうだね」

「こちらです。ひどいですよ」

あるじは心持ち早足になった。風がいっそう強く吹きつけてきた。

ざわざわと人声がする。かなり大勢である。パトカーの無線の音も、風でちぎれたように切れ切れに聞こえてくる。

「轢《ひ》き逃《に》げか」

あるじがかがみこむ。私は胸ポケットのなかで大きく傾く。

「……こりゃあ酷《ひど》い」

「跳ね飛ばされたのではなく、引きずられたようですね」

あるじは立ち上がる。あたりを見回しているのだろう。

「身元は？」

と尋ねながら、あるじは手帳を取り出す。

「森元隆一《もりもとりゅういち》、三十三歳。住所は――」

あるじは書きとめている。腕が動く。

「十メートルほど後ろに財布が落ちてまして、運転免許証が入っていたんです。金もそのままでした。二万円ちょっとですが」

「その顔写真と比べて間違いはないか？」

やや間があいて、あるじの笑う声が聞こえた。

「まあ、そんな顔をするな。事件の直前に誰か全然無関係な人間が落としていった財布ということもあるからだ」

「そんな偶然がありますか」

「ないとは言い切れんさ」

若い声は少しばかりかすれた。明らかに気を悪くしているのである。

「顔写真と対照して、本人と確認したんです。とっくに」

「すまんな。来るのが遅かった。我が家は、君らの待機寮と違って、都心まで片道一時間半かかるところにあるんだ」

「どっちにしろ、ほとけさんの今のこの顔じゃ、生前の写真と比べても無駄だという意見もありますしね。めちゃくちゃだ」

あるじは素早く言った。「そういう言い方はよしなさい」

若い声は黙った。

「家族は？」

「免許証の住所に電話したんですが、応答がないんです」

「留守番電話ではないんだな？」

「違います」

「アドレス帳のたぐいはなかったか？」

「ありません」

「財布に名刺は？」

「ありました」

「本人のものか？」

「はい。東洋《とうよう》起工《きこう》というメーカーの社員です」

「じゃ、そこに電話しろ。守衛か誰かいるだろう。緊急連絡網を教えてもらうんだ。同僚か上司をつかまえれば、家族のこともわかる」

それから、あるじはうろうろと歩き回った。時々誰かと言葉を交わす。

途中で、あるじの足音が変化したところがあった。さく、さくというような音である。未舗装の、草っ原のようなところがあるのであろうか。

聞き込みの分担を割り振る声。行き交い、近づき、また遠ざかるたくさんの足音。その後ろに機械的な雑音が入るのは、写真班が作業しているからである。あるじとのつきあいのおかげで、耳慣れている音である。

「よし、運び出してくれ」と、太い声が命じた。あるじはその太い声と話を始めた。

「どう思うね」と、太い声がきいた。

「まだなんとも言えませんが——発見者の話は聞かれましたか」

「いや、まだだ。通りがかりの女性でね。かなり酔っていたこともあって、一一〇番通報したあと——」

太い声は、手ぶりでなにかをしたらしい。あるじが「おやおや」と言ったところをみると、身振りで吐く真似でもしたのだろう。

「今、少し休んでいる。そろそろ詳しい話が聞けるんじゃないかと思うが」

「若い女ですか」

「二十二、三というところだろう」

「酔って、それもこんな時刻に一人で夜道を?」

「連れの男と喧嘩《けんか》したんだそうだ」

「猛者《もさ》ですな」

「近頃の娘さ」

あるじは私のいる胸の上をさすった。無意識にしたことだろうと思う。たぶん、自分の娘のことを思ったのだろう。

それから、腹のうえのあたりで手をとめると、ちょっと間をおいてから、こう言った。

「被害者は、ネクタイピンをしてませんでしたね」

太い声が「へえ、そうだったかね」と答えた。

「ええ、見当たりませんでした。あんなものは、いくら車に轢かれたからって、単独でどこかへふっとんでいくようなものじゃありませんからね。最初からしてなかったんでしょうが……」

「気になるのかね」

「少しですが」と、あるじは笑いを含んだ声で言った。「まあ、たいした意味もないことだと思いますがね」

太い声は、それに反対するでもなく賛成するでもなく、唸《うな》るような声を出しながら言った。

「このあたりでは、目撃者は期待できそうにないな」

どうやらここは、人けのない寂しいところであるらしい。

「殺人におあつらえ向きの場所ですよ」と、あるじはさりげなく言った。

「計画的と思うか？」

「まだ断定はできませんが」

「引きずられているからかね」

「単なる事故とは思えません。頭を殴《なぐ》ってとどめをさした形跡がありました」

太い声はしばし沈黙してから、言った。

「来た。彼女だ」

私はその彼女の声を、なかなか気持ちよく聞いた。少し低いが、聞き取り易くしっかりしている。猛者である。

彼女は三津田幸恵《みつださちえ》と名乗った。デパートに勤めているという。

「もう気分はよくなりましたか」と、あるじが問うた。

「そう簡単には立ち直れません。ひどいものを見ちゃったんですもの。それに、寒いわ」あるじが言った。「そのフードをかぶってみたらどうです？　だいぶ違いますよ」

「ダッフルコートのフードって、かぶるものだとは思ってませんでした」と、幸恵嬢は意外そうに言った。「飾りでしょう？　でも、そうね」

彼女はフードをかぶったらしかった。あるじが訊《き》いた。

「どういう状況であの死体を発見されました？」

「わたし、男をまいてたんです」

あるじも太い声も黙っている。幸恵嬢はやや乾いた笑い声をあげた。

「すみません。順をおって話します」

幸恵嬢が〈男〉と呼んでいるのは、今夜行きつけのスナックで知りあったばかりのサラリーマンであるという。彼は彼女を家まで送って行きたがった。無論、騎士道精神のしからしむるところからではない。

「わたしはそんな軽い女じゃありませんから。うまくまいちゃおうと思いまして、酔ったからと言って途中で車を降りたんです。この道は、わたしの住んでいるアパートへの近道なんです」

「車を降りてここへつくまでの道順を教えてくれませんか」

あるじたちは幸恵嬢を伴って、彼女の案内にしたがって歩いた。私はまた、さくさくという足音を聞いた。

現場に戻ってくると、太い声の主が誰かに呼ばれて行ってしまったので、あるじは幸恵嬢と二人になった。手早く、彼女のいたスナックの店名と〈男〉の名前をきいた。幸恵嬢は〈男〉の名前は記憶していないと答えた。

「ひょっとすると、まだその辺をウロウロしているかもしれませんよ」と、不愉快そうに言った。

「死体を発見されたときは、あなたお一人だったんですね」

「ええ。恐ろしかったわ」

「悲鳴や、物音のようなものは聞きましたか？」

「全然。わたしが見つけたときには、すべて済んでいたんじゃないかと思います」

「もちろん、車や人影も見ていない？」

「はい、なにも。あの気の毒な死体以外は」

「こんなところに一人で歩いてきて、怖くはなかったのですか」

「下心見え見えの男と歩いているよりは、ずっと安心でした。だいいち、彼をまくのに必死でしたもの。こんなときに限って、おまわりさんはいないし」

幸恵嬢は真面目な声を出した。

「わたしだって好んでこんなところを歩いていたわけじゃないし、事件とは関係ありませんよ。それ、お知りになりたいんでしょ」

私のあるじが手帳を閉じる音がした。そして彼は、抑揚《よくよう》のない声で訊いた。

「どうして嘘をつくんです？」

長い沈黙が流れた。

「私が嘘を？」

幸恵嬢の声は震えを帯びていた。

「そうです」

「なぜ嘘だってわか――」

言いかけて、幸恵嬢ははっと言葉を切った。ややあって、あるじの方に一歩近づく足音がした。

「お願い、今は話せないんです。わかってください」

もう一歩近づく。

「わたしだけの問題じゃないんです。少し時間をください。逃げませんから」

さらに声をひそめて、

「悪いようにはしません。本当です」

わたしは危ぶんだ。あるじの鼓動が早くなったから。

「本当よ。約束します」

幸恵嬢がもう一度ささやいたとき、太い声の主がなにか言いながら戻ってきた。あるじは素早く言った。

「ありがとうございます。また、お時間をいただくことがあると思いますが、今夜はこれで結構です。誰かにお宅まで送らせましょう」

その夜はとうとう、被害者の身内とは連絡がとれなかった。森元隆一氏の上司が駆けつけてきて、遺体の確認をした。

「上司の話だと、ほとけさんは結婚しているそうなんですが」

さっきの若い声が報告した。

「女房はどこで何をしてるんでしょうね。亭主が殺されたっていうのに」

私のあるじは答えなかった。黙って、胸の上をさすっていた。

3

被害者である森元隆一氏の夫人、森元法子《のりこ》と会うことができたのは、翌日の昼近くになってのことだった。

あるじはずっと、あの若い声と一緒だった。二人で、森元宅の前で夫人の帰宅を待ち、夜を明かしたのである。ある意味では、帰宅するかどうか監視していたと言ってさしつかえないかもしれぬ。夫が変死体で発見され、しかも深夜であるというのに、居所がはっきりしない妻なのだから。

やっと帰ってきたとき、法子夫人は一人ではなかった。女友達と一緒で、昨夜もその女性の家に泊まっていたのだという。

あるじたちは定型の自己紹介のあと、用向きを告げた。それは無論、隆一氏が死亡したという凶報でもある。

「え！」と、ひと声言ったきり、法子夫人の声は長い間聞こえなかった。それから騒動になった。夫人が倒れたらしい。

私に聞くことができたのは、「ひどい」とか、「なんてことなの」とか、「しっかりして」などの、切れ切れのやりとりだけである。

あるじはほとんど手を出さず、女友達と若い声の部下に任せていた。よって私も静かにしていられた。

やがて事態が収まり、あるじたちと夫人の女友達の会話が聞こえてきた。

「少し休めばしっかりすると思います。遺体の確認には、私もついていっていいでしょうか。あの様子じゃ、心配で」

あるじは承知し、警察の車でお送りすると言った。

女友達は名を名乗った。美濃安江《みのやすえ》という。

「法子さんとは、以前同じ職場で働いていたんです」

下町にある保険代理店だという。法子夫人――当時は山岡《やまおか》法子だが――は結婚退職し、安江嬢は転職をした。

「失礼ですが、あなたはご結婚を？」と、あるじが訊く。

「いいえ、独身です。ちっとも失礼じゃありませんよ」

安江嬢は笑っている。

「法子さんがあなたのところで泊まられるのは、めずらしいことではないのですか？」

「ええ。あたしが誰かと同棲しているとき以外は、ちょくちょくあることです」

安江嬢はあっさりと言う。

私は違和感を感ずる。安江嬢は、必要以上に明るくふるまっているように思われる。あるじもそれを感じているだろうか。

しばらくすると、法子夫人が落ち着きを取り戻して出てきた。全員、車に乗り込んで署に向かった。


法子夫人からの事情聴取には、二時間ほどを要した。

あるじたちは、もう一度丁寧に悔やみを述べてから、てきぱきと質問をした。法子夫人も簡潔に答えた。はい、主人はゆうべ帰りが遅くなる予定でした。急に内部監査が入ることになって……主人は経理課の主任なんです。それで私も美濃さんのところに遊びに行ったんです。ええ、主人もそのことは知っていました。家に帰ってきても、着替えるだけですぐに会社に戻るから、いなくてもかまわないって——。

「ご主人に恨みをもっているような人物に心当たりはありませんか」

あるじが尋ねたとき、法子夫人は、まったく意外なことに笑いだした。

「まさか。そんなこと、あるはずがないでしょう。ただの事故なんでしょう？」

被害者の両親と、法子夫人の母親が署に到着した。そこで初めて、夫人は泣き崩れた。

そのあと、美濃安江嬢が私のあるじに近づいてきて、こんなことを言った。

「ねえ刑事さん、法子は本当にあたしと一緒にいたんですよ」

あるじは無言だった。安江嬢の顔を見ているのであろう。

「本当よ。だから彼女、ちゃんとアリバイがあるんです」

「それが気になられますか」と、あるじは問うた。

「ええ。だって、法子が疑われているみたいなんだもの」

私は、安江嬢が妙に明るくふるまっているのは、夫殺しのぬれぎぬを着せられると思い込んで怯えている友人のために、楽観的なところを見せようとしているためではないかと考えた。

あるじは、安江嬢になにも言わなかった。ただ、あとになって、若い声の部下にこう言った。

「おかしいとは思わないか」

「何がですか」

「被害者の女房だ。報《し》らせを聞いてからまだ一度も、我々にきかない」

「何をです？」

「夫を轢いた人物はどうなったのかということさ。捕まったのか、逃げているのか、我々にもまだ見当がつかないでいるのか。なにも知らずにいて平気なんだろうかね……」

翌日の午後、森元隆一氏の死因が判明した。頭蓋骨骨折と広範囲にわたる脳内出血である。氏は自動車に轢かれ、引きずられ、瀕死の状態にあるときに、何者かによって頭部を激しく殴打され絶命したものと思われると、捜査会議で報告されたのである。

惨殺《ざんさつ》である。

そして森元氏は、三社三種類、合計総額八千万円にのぼる生命保険に加入していた。保険金の受取人は法子夫人である。

私はまた、あるじの心臓の鼓動が早まるのを感じていた。会議の席から立ち上がろうとしたあるじが倒れたときも、それは変わらなかった。止まらなかった。

4

「そのうち、仕事で命を落としますよ」

あるじの細君の声である。私はハンガーにかけられた上着のポケットのなかにいる。あるじは横になっているらしい。

病院である。

「男はみんなそういうもんだ」

「格好のいいことばかり言って」

細君は機嫌が悪い。当然であろうが。

「循環機能検査を受けた方がいいって、お医者様が」

「そんな暇があるか」

「お骨《こつ》になってからでは遅いんですよ」

「寝たきりになるよりは、あっさり死んだほうがおまえと涼子のためだ」

ぶっきらぼうに言ってから、あるじは変に笑った。

「そういえば、俺が死ねばローンもきれいになるんだったな。保険があるから」

やや沈黙してから、細君は言った。

「ね、やっぱり家を売りましょう」

今度はあるじが沈黙した。

「いいじゃありませんか。一生賃貸住宅で暮らす人は、いくらもいますよ」

「売ってどうする」

「お金ができます。毎月のローンの支払いもなくなれば、あなただって安心して長い休暇をとれるじゃありませんか」

「……」

「少し休んでください。お願いですから」

「涼子が大学に行けば、また金がかかるしな。俺は稼ぎが悪い亭主だし」

「そんな言い方をしないで。刑事の安月給は承知のうえで、わたしはあなたと一緒になったんですよ」

「そりゃあ……」

「わたしはなにも不満なんかないんですよ。無理をしないで」

「大丈夫だ」

「そんなことを言ってるうちに、本当にポックリいっちまいますよ、あなた」

細君は、説教をするときのみ、あるじを「あなた」と呼ぶ。

「前々から、危ない危ないと思っていたんです。しょっちゅう胸苦しそうな顔をしてるし」

あるじが私のいるあたりをさするときは、そんな様子をしていたのかと思った。

「警察は、あなた一人でもっているわけじゃないでしょう。休んだって、いいえ、やめたっていいじゃありませんか」

「やめていいわけがあるか」

「身を削ってご奉公するのも結構ですけど、あなた、自分のことも考えなくちゃ」

「考えてるさ」

「じゃ、家を手放しましょう。それで少し楽をしてください。ね？」

「楽をしたら食っていかれん」

「わたしが働きますよ」

あるじは失笑した。

「おまえがなにをして働く？　食いぶちどころか、小遣い銭を稼げたら上等なくらいだ」

「だから、家を売りましょうよ」

細君は、これまでになく執拗《しつよう》に食い下がった。

「どうせ涼子はお嫁に出してしまうんだし、あなたとわたしであんな広い家に住んでたって仕方ないじゃありませんか」

「馬鹿を言うな。それはまだ先の話だ」

話を打ち切るために、あるじは起き上がったらしい。

「財布をよこせ。電話をかけてくる」

細君が近づいてきて、私を取り出した。そして、いつもあるじに無断でそうするときのように、私の中身をのぞいた。

私の内側には二つの仕切りがある。一つの方には、あるじの使うキャッシュ・カードなる代物が入っており、もう一つの方には、なにか厚紙のようなものが入れられている。私があるじのもとに来たそのときから、ずっと入れられたままだ。

私には、長いことそのものの正体が謎《なぞ》であった。あるじはそれを取り出すことも、触れることもないからである。

今、細君はそれを取り出した。

「あなた、これを後生大事に持っててくれたんでしょう」

あるじは少しばかり狼狽《ろうばい》した声になった。

「なんでおまえがそれを知ってるんだ」

「時々、あなたの財布をのぞいてますから。そうやって、お金が少なさそうだと足しておいたんです。気がつきませんでしたか」

あるじはぶっきらぼうに言った。「財布をよこせ」

細君は私を渡し、言った。

「その気持ちだけで充分なんですよ。だから――」

言葉の終わりは、閉じるドアに遮《さえぎ》られて聞くことができなかった。

数日後、あるじは仕事に戻った。

5

事件が起こると、私のあるじはよく歩き回る。今回もそうであった。

さく、さく、さく。現場の付近を歩いているのであろう。そしてじっと考え込む。

なにを考えているのだろうと、私は思う。幸恵嬢のことではないかと思う。彼女との話はどうなっているのであろう。

考え込んでいないときは、若い声の部下が一緒である。なにやら報告口調で、

「法子夫人の近所での評判は芳《かんば》しくありません。派手好き、遊び好き――」

「夫婦仲はどうだ」

「喧嘩をしている様子はなかったそうです。被害者は甘い旦那だったようですよ」

「夫人の交遊関係の方はどうだ」

「男関係の噂《うわさ》があります」

あるじは私のいるあたりをなでた。

「近所の主婦が、二度ほど、森元家の近くの路上で、白い乗用車から降りてくる森元法子を見かけているんですよ。もちろん、夫の車じゃありません。運転席には男がいたようだと話しています」

「もちろん、旦那ではない」

「当然です」

あるじはぽんぽんと上着をはたいた。

「だが、アリバイはある」

「完璧です」

無論、森元法子のことである。だが、今の私には、三津田幸恵の方が気懸かりだった。

「ほとけさんの服装のことなんだがな」と、あるじが訊いた。「東洋起工の連中に確認してみてくれたか？」

若い声はすぐに答えた。「ああ、ネクタイピンの件ですね？　ええ、訊いてみました。事件の夜、会社を出るときまでは、していたそうですよ。銀のネクタイピン」

「そうか。してたか……」と、あるじは繰り返した。

「現場からは見つかってないですよね」

「なぜ失《な》くなったんだろう」

若い声は気軽な感じで言った。「小さいもんですからね。どこかそのへんにまぎれこんでるんじゃないんですか。事故の衝撃で、草叢《くさむら》のなかにでも弾《はじ》き飛ばされちまって」

あるじはゆっくりと念を押すように訊いた。「そんなことがありえるかね？」

「はあ？」

「いや、きちんととめてあるネクタイピンが、はずれて弾き飛ばされるなんてことが、さ。ボタンならわかるよ。しかし、ネクタイピンだ。ありえるかね」

若い声は黙りこんだ。やがて、不満そうな口調で言った。「さあ、わからないですけどね。でも、そんなことどうでもいいじゃないですか。事件には関係ないと思うな、僕は」

その小生意気な口調には感心しなかったが、私も、彼の言い分はもっともだと思った。気になるのは、ネクタイピンなんかではなく、なにか仔細《しさい》ありげな様子だった三津田幸恵のこと……。

そして、ようやくあるじが彼女と話をするときがやってきた。

喫茶店である。私には場所はわからない。彼女とあるじがいつこんな約束をしたのかもわからない。

だが、あるじの心にあることはわかるように思った。あるじの心臓はどきどきとしていた。

あるじは買収されるつもりなのか。

「なぜ、嘘をつかれました」

愛想のない率直さで、あるじは問うた。

「私、彼と一緒だったんです」と、幸恵嬢はあの低い声で答えた。「人に知られてはまずい仲なんです」

「想像はつきますが」

「いいえ、違います。そんな簡単な不倫なんかじゃないんですから」

幸恵嬢の声は怒っているようにも聞こえた。

「ちゃんと結婚を考えているんです。でも、彼には今は奥さんがいて……うまく離婚をしないとまずいんです。わたしの存在を気づかれないようにね。そうでないと――」

「相手にあなたとの結婚の意志があるなら、それでいいじゃありませんか。隠すことはない」

「わたしのことがわかったら、彼の奥さんは意地でも離婚しません。困るんです」

「私はよくは知らないが、裁判や調停という手があるのではないですか？」

「有責配偶者からの離婚の申し立てはきいてもらえません。何十年も待たされるし――」

「それで、あの場に二人でいたことを隠そうと思われたわけですな」

「そうですわ」

やがて、おずおずと幸恵嬢が言った。

「刑事さん、どうして私が嘘をついているとわかったんですか」

「あの時、あなたの靴が汚れていなかったからですよ」

幸恵嬢が首をかしげているさまを、私は想像した。

「あなたの説明してくれた道順で歩いたなら、靴に泥や汚れがついているはずでした」

さく、さく、さく。あの足音の道である。

「だが、あなたは磨きたてのような靴をはいておられた。ただ、遺体を見つけて気分が悪くなり吐いてしまった。そのときの汚れはついていました。だから、事件に巻き込まれるそのときまでは、靴の汚れない状況にあったのだろうと思ったわけです。おそらくは、車に乗っていたのだろうと」

「そして、女が嘘をついてまで隠し事をするのは、たいてい男のためだから、と思ったわけね」幸恵嬢はぼそりと言った。

「あの場所でなにか見たんですか？」あるじは端的にきいた。

「なにも見ていません。見なかったことにしてください」

あるじは答えない。

「わたしたち、お金を払おうと相談したんです。だから時間が欲しかったの。取引しましょう。悪いようにはしないと言ったのはそのことです。おわかりだったでしょうけど」

あるじの鼓動が早まった。

「わかっていたから、あのとき、わたしが嘘をついていることを、ほかの人には黙っていてくれたんでしょう？　そうでしょう？」

あるじはゆっくりと答えた。「そうですよ」

私は、あるじの細君の声を思った。（家を売りましょう――）

「百万あります。足りないとおっしゃるなら、もう百万出しますわ。彼、お金はあるんです。自分で事業をしていて、うまくいってますから」

かさかさ、と音がした。

「受けとっていただけますね？　これで、わたしたちはなにも見なかった、あそこにはいなかったことになるでしょう？」

「なにかを見たんですね？」

「お金をおさめてくださるなら、それはお話しできません。だって、わたしはなにも見てないんですもの」

「秘密は守りますよ」

「信用できないわ。わたしがもし、見たことをお話ししたら、あなたはそれを報告するんでしょう？　こういう目撃証言があった、って。それをもとに捜査をするんだし、捜査しているのはあなた独りじゃないわけでしょう？　だったら、その目撃証言をしたわたしたちのことを、隠し通せるはずがないじゃありませんか」

幸恵嬢の発言は、確かにあるじの痛いところをついている。

「わたしたち、他人様《ひとさま》のことに関わって自分たちの幸せをフイにするほどお人好しじゃありません。どんな小さな危険もおかしたくないし、危険を避けるためならどんなことでもします。だからこんな大金だって……お金を取ってわたしの嘘を通してくれるか、すべてなしにするか、どちらかです」

私は念じていた。届かぬとは思いつつ、念じていた。

あるじよ、その金をとってはいけない。その金で私をふくらませてはいけない。

森元隆一は保険金のために殺されたのかもしれないのだ。幸恵の目撃したものが、それを暴《あば》く手掛かりになるかもしれないのだ。

それを、金のために見過ごしにしてはならない。

あるじは立ち上がった。それを見てか、幸恵嬢がふふと笑った。あるじはしばしそこにたたずんでいたが、やがて歩き出した。

二人は外に出た。

「じゃ、これで」と、幸恵嬢が言う。声には共犯者の笑いがひそんでいる。

あるじは無言のままだ。

私は裏切られた。私にできることは、そんな金を私に抱かせないでくれと願うことだけだ。

あるじはじっと立ちつくしている。

と、遠くから小さく幸恵嬢が叫ぶ声が聞こえた。

「ちくしょう!」

まぎれもなく、そう言った。あるじは笑いだした。笑っている。

「気が変わりました」と、大声で言った。

幸恵嬢が走って戻ってくる。あるじは静かに言う。

「明日にでも事情聴取にうかがいます。あなたは私を買収しようなどとはしなかったし、私はその話をされたことがなかった。そうですね？　このことは、恨みっこなしで忘れましょう」

私にはわけがわからなかった。だが、あるじは軽い足取りで歩いていく。そしてその夜は家に帰った。

あるじは芝居をしていたのだろうか。幸恵嬢が何か見ているのかどうか、確かめるために？

だが、金を受け取ったではないか。

私の納まっている上着を脱いで、あるじはハンガーにかける。そして、細君にこう言った。

「今日、危うく買収されるところだった」

「買収？」

「俺もそのつもりで出かけていったんだ」

細君の息遣いが聞こえる。

「土壇場で、気が変わった」

金を受け取ったのに？

「相手がフードのついたコートを着ててくれたんで、助かった」

それでようやく、私にもわかった。話はついたと安心してあるじと別れる幸恵嬢。彼女は背を向ける。そのコートのフードに、あるじは金の包みをそっと落とす。

気がついた彼女は「ちくしょう！」と叫んだ……。

「家を手放そう」

あるじが言っている。「自分が恐ろしくなった。なにを考えるかわからんからな」

「本気ですか？」

「俺は家族にはなんにもしてやらん男だからな。せめて家だけは持たせてやりたかったんだが」

「その気持ちだけで充分だって言ったでしょう」

細君の声は温かい。

「お父さんは純情だって、涼子が言ってましたよ。あなたが、この家を買ったときに、みんなで玄関で撮った写真を後生大事にお財布に入れて持って歩いてるって話したら」

私の仕切りに入っている厚紙のようなものの正体は、写真だったのである。

数日後、三津田幸恵嬢は、事情聴取ですべてを話した。無論、相手の男も一緒である。二人は、森元隆一の倒れている現場から逃げ去る、一台の乗用車を目撃していた。

白い乗用車を。

「しかし、白い車なんてのはそこらじゅうで見かけるからなあ」

あるじの同僚がうなるように言った言葉である。

そのとおり、決め手とはなりえないことだ。が、とっかかりにはなる。捜査の方向を示すものにはなる。捜査本部は、森元法子を重要参考人として呼び出すことに決めた。

もっとも、私のあるじが彼女を取り調べることにはならないだろう。あるじは今、駅にいる。入院の支度を整えてやってくる細君と待ち合わせているのである。

だが、あるじが捜査課の部屋を出るときに聞こえたあの若い声を、私は忘れていない。あるじも忘れはしまい。彼はこう言ったのだ。

「デカ長、ゆっくり休んでください。でも、なるべく早く戻ってきてください。なんだか、この事件はこれだけではすまなそうな、嫌な予感がするんです――」

強請屋《ゆすりや》の財布

1

あたしはいつだって、貧乏くじばっかり引いてきた。

でも、最初に買われたときは、あたしだって新品のぴっかぴか。きれいなもんだったのよ。

「へえ、目が覚めるようないい色ね」なんて言ってくれる人間だっていたんだ。あたしは悦にいっていた。

だけどね、それが間違いのもとよ。

あたしはどうやら、とっても派手な財布らしい。キラキラがたくさんついているし、大きなとめがねもある。あたしがハンドバッグやポシェットの中に入っていくと、ほかの連中が「狭い、狭い」って文句を言うのよ。前の持ち主のところで一緒だった眼鏡ケースの奴なんか、「あなた、ひとりで幅をとりすぎるんですよ。中身もないくせに、デザインばっかりゴテゴテしていて」なんて言っちゃあ、あたしをいびったわ。フン、そういう自分は何様のつもりだったか知らないけどさ。

そいつ、老眼鏡入れだったのよ。前の持ち主はスナックのママでね、たっぷり十歳はサバよんでた。ま、バレてなかったけどね。

だから、老眼鏡入れのやつ、日陰の身だったわけよ。絶対に人前には出られないってわけ。ひがみ根性が強いから、口うるさかったのね。あいつと別れられたときはサバサバしたわ。だけどさ、今の持ち主は、やたらにでっかい化粧ポーチを持ってて、こいつがまた、ずうたいと同じくらい態度もデカくてさ、しょっちゅうあたしとぶつかって——

ああ、いやんなっちゃう。あたし、話が下手ね。ちゃんと順序よく言っていかないと、あたしがどんなにツイてない財布なのか、わかってもらえないわよね。

そもそも、あたし、出荷のときから落ちこぼれだった。

デパートには行けなかったの。革製品の専門店でもお呼びじゃなかった。

あたし、「品がない」んだって。でも、そんなのあたしの責任じゃないわよね。あたしを作った人間に「品」てもんが欠けてたわけでしょう？　知らないけど。

でね、新品のあたしを置いてくれたのは、忘れもしないわ、「アバンチュール」って店だった。

イヤな予感はしてたのよ。店番の女の子のしゃべり方だとか、店主が電話に出るときの感じとかで。あたしだって、そのころはまだすれてなかったから、「なーんかガサツだわ」なんて思ってた。

でも、「アバンチュール」って店の名前は、そんなに悪くないナって思ってたのよ。どっちかって言ったら、気に入ってた。あたしもつくづくバカよね。

自分の置かれてる立場が——立場でいいのよね、この場合。もちろんあたしは立つことなんかできないけどさ——わかったのは、中学生ぐらいの女の子が三人、あたしのいるショーウィンドウの前で立ち止まって、ゲラゲラ笑いだしたとき。

「イヤダー！」

「アバンチュールだって」

「イヤラシー！」

彼女たち、真っ赤な顔して騒ぎながら逃げていっちゃった。

言っとくけど、あたしを笑ってたんじゃないのよ。あたしと並んで陳列されてた何物かをさして笑ってたの。

それが何なのか、しばらくしてわかったわ。あたし、そいつと一緒に買われたんだもの。酔っぱらったおっちゃんに。

おっちゃん、いやに大きな音をたてて歩き回る女を連れてた。九センチヒールでも履いてたんでしょうね。時々、じゃらじゃらいう音もしたわ。

「これはミキちゃんにプレゼント」なんて、甘ったるい声を出して、おっちゃん、あたしを買った。

ミキちゃんと呼ばれたじゃらじゃら女は、「じゃ、これはあたしがプレゼントするわ」って言って、あたしの隣りの何物かを買ったの。おっちゃん、喜んじゃって、

「たくさん買っていいぞ。足りないと困るからナ」

そして二人して、べたべたした声で笑うのよ。

クリスマスだったんだって。プレゼント交換だったんだって。そして、何物かを買った「ミキちゃん」は、そのあと、おっちゃんに自分をプレゼントしたわけよ。

もうわかったでしょ？　「ミキちゃん」の買った何物かの正体が。

あたし、絶望したわ。そんなものと一緒に並んでたなんて。それが転落の始まりよ。

「ミキちゃん」、あたしを三カ月と使ってくれなかった。もちろん、おっちゃんも同じ運命をたどったんでしょうけどね。いい気味だわ。

あたしに飽きた「ミキちゃん」は、それでも、あたしを捨てはしなかった。知り合いにあげちゃったの。それが、さっき言ったスナックのママよ。

ああいう商売って、ラクじゃないらしいのね。ママ独りで切り回してたんだけど、いっ

つもお金にキュウキュウしてて……。だから、中古の財布だってもらっちゃう。まったくあのママさんときたら、くれるものなら何でももらう、出すのは鼻血も出さないって人だった。

そのママさんと別れたのは、彼女があたしを落としたからだった。

よくよくお金に縁のない女よ。そのときあたしの中には、大枚十二万円が入ってたんだもの。

彼女、お客に連れられて温泉旅行としゃれこんだわけ。「ラッキー！」なんてウキウキしてたんじゃないの？　そこであたしを落としちゃったの。

どんな場所だったか、あたしにはわからない。外で、人通りは多かったわ。

ママさんにも、どこであたしを落としたのかわからなかったんでしょうね。家に帰っちゃってから、初めて財布のないことに気がついたのかもしれない。

ドジな女よ。あたしは拾われて、交番に届けられたけど、彼女はとうとう取りに来なかった。今ごろどうしてるかしら、時々、思い出すわ……。

で、そのときあたしを拾ってくれたのが、今の持ち主ってわけ。彼女、当時はその温泉町で「仲居さん」ってことをしてた。みんなから、「ミチコさん」て呼ばれてたわ。

彼女、あたしを大事にしてくれたわ。トーゼンよね。あたしのおかげで、彼女は十二万円ももらったんだもの。あたしのこと、「ウチデノコヅチ」だって言ってたもんよ。でも、

「ウチデノコヅチ」ってなあに？　まあ、いいわ。

あたしの持ち主になってしばらくして、彼女は結婚した。それで、葛西路子《かさいみちこ》っていう名前になったの。

相手はお客。声の大きい男だったわ。そして、結婚してすぐに、二人で「東京」って街に出てきたの。

でも、亭主はもういないわよ。半年しかもたなかった。あたしの持ち主、亭主から逃げだしたの。

あたしには最初からわかってた。あたしに口をきくことさえできたなら、結婚しちゃう前に、彼女に言ってあげたかったわ。

「ねえちょっと、考え直した方が身のためよ。あんたの留守に、あたしからお金を抜いていくような男なんかロクなもんじゃないわ」って。

だけど、彼女はお人好し。「小遣いをよこせ！」って殴られて、前歯が二本も折れるまで、なーんにもわかんなかったんだから。

彼女、泣き泣き歯医者にいったのよ。貯金をおろしてさ。差し歯二本で三十万円。あたし、歯医者に払うそのお金を抱いて彼女の懐ろに納まっていたときは、ちょっぴり彼女が可哀想だった。

一人になった彼女は、小さくてあんまり上等じゃなさそうな飲み屋で働いて、あたしを一生懸命ふくらませようとしてた。

「あたし、昔、この財布と一緒に十二万円も拾ったの。だから今でも大事にしてるのよ。げんがいいんだもの」なんて言ってたわ。あれっきり、いいことなんかないのに。

ある日、彼女が美容院に行ったとき、受付であたしの入ったバッグを預けたの。彼女がいなくなったあと、受付の女の子が二人、ひそひそ笑ってこう言った。

「ねえ、今のお客さん、見た？」

「うちにあるだけのアクセサリーをつけてきましたって感じ」

「あのネックレスの数！　インドから友好親善のために、おめかししてやってきた象のインディラちゃんだわ」

あたしって、よくよく、じゃらじゃらいいながら水の流れの低い方へ低い方へ行ってしまう女に縁があるみたいね……。

2

あんまりパッとしないけど、まあそれなりに平和に暮らしてきたあたしたちの上に、ある時、警察沙汰がふりかかってきた。

あたしの持ち主の、数少ないお得意さんの一人が轢き逃げされちゃったというのがことの始まりよ。それもただの轢き逃げじゃなくて、どうやら「サツジン」らしい。

そして警察は、その人の奥さんが犯人じゃないかと疑っているの。ご亭主には生命保険がかかってたから。

八千万円。

スゴイ話よね。あたし、とめがねが壊れてもいい、一度でいいからそれだけのお札を抱いてみたいわ。

殺された人の名前は森元隆一、三十三歳。奥さんの名前は法子、二十八歳。彼女は結婚前に保険代理店に勤めていて、保険のことには詳しかったらしい。おまけに、ご亭主がアマイのをいいことに、結構派手に遊び歩いていて、男がいたらしい様子もあるんだって。

怪しいじゃない？　ねえ、あたしが刑事だって疑うわよ。

でも、ザンネンでした。彼女にはアリバイってやつがあるの。ご亭主が殺されたころ、彼女は女友達と一緒にいたのよ。

そこで、警察では、法子サンが誰かに頼んで――あたしの持ち主と話した刑事は「共謀して」と、言っていた――ご亭主を殺させたんじゃないかって、考えているというわけ。

警察って、アタマいいわね。

こんなふうにあたしが詳しいことを知っているのは、刑事さんが、あたしの持ち主に話を聞きに来たからなの。

あたしの持ち主が、勤務時間中に困るとでも言ったんでしょうね。刑事さん、わざわざ彼女があがる時間まで待っていて、深夜営業のお店で一緒にラーメンをすすりながら話をしたの。だから、あたしもやりとりを聞くことができた。

持ち主がお店で働いているときは、あたしは彼女のバッグに入れられて、鍵の掛かるロッカーのなかに納められているの。私物だからね。

だからあたしは、森元さんというお得意のことも、直接は知らないの。持ち主の言うことを通して知っているだけ。よけいに興味がわくじゃない？

それに、本物の刑事の声なんて、めったに聞けるもんじゃないわ。

「森元さんは、お店に来たとき、奥さんのことで何か話してはいませんでしたか？　奥さんの浮気を疑ったり、具体的な人名をあげたりすることはありませんでしたか？」

つまり警察は、法子サン隆一サンの知りあいに——どんな知りあいでも——会ってまわって、何とかして、ご亭主殺しに手を貸すほど彼女と熱い仲だった男を洗い出そうとしていたわけね。

あら、「洗い出す」なんて、ちょっと専門的な感じのする言葉じゃない？　あたしの持ち主に会いに来た刑事さん、とっても若そうな声を出していたけど、あたしの持ち主が何か質問すると、さかんに、ムズカシイ言葉で答えてた。

事件の内容は、テレビでも結構流されていたから、あたしの持ち主も、法子サンが「重要参考人」とかいうものとして警察に呼び出された――というところまでは知っていた。

「てっきり、あの奥さんが犯人だとわかったとばっかり思ってましたの」

なんて、ヘンに丁寧《ていねい》な言葉でしゃべっちゃってた。

「参考人というのは、容疑者でも犯人でもないんですよ」

「ただの参考人ならそうでしょうけど、でも、あの奥さんには〈重要〉がついてたじゃありません？」と、あたしの持ち主。「それに、共犯の男の白い車が見つかったとかなんとか、ワイドショーで騒いでいたのを見た覚えもありますわ。あれはどうなったんですか？」

若い声の刑事さんのうんざり顔が、あたしは見えるような気がした。あたしの持ち主ときたら、すこぶるつきの知りたがり屋なんだ。そして、「あたしの知りたいことを教えてくれないなら、こっちも教えないわよ」という人なのよね。

あきらめたみたいに、刑事さんは説明した。

「それは、一方には、『以前、法子夫人が夫のものではない白い乗用車に乗っているところを見かけた』という人がおり、もう一方に、『隆一さんが殺された現場から逃げていく白い乗用車を見た』という人がいる――というだけのことですよ」

刑事さん、面白くなさそうに鼻を鳴らした。

「その程度のことなら、ただの偶然の一致ということも充分あり得ます。都内だけでも、白い車は腐るほどありますからね。それで騒いでいるのはマスコミだけです」

そっけない感じで言ったけど、本音ではなさそうだった。本当は、警察もその白い車のことで「すわ!」って感じになったんだけど、調べてみたら証拠にも手掛かりにも何にもならなかった——というところだったんじゃないかしらね。

あたし、誰かが負け惜しみを言っていると、すぐにわかるのよ。たくさんの負け惜しみを聞いてきたからね。

あたしの持ち主は、しばらく黙ってた。

めずらしいわぁ……と思っていたら、もぞもぞって身動きしてから、こう訊いた。

「あら、じゃ、奥さんは釈放されたんですね」

刑事さんの溜め息が聞こえる。

「いいですか、森元法子さんは逮捕されたわけじゃないんです。ですから、釈放されることもありません。事情聴取が終わったので、家に帰ったというだけのことですよ」

「じゃ、家でゆっくりしているんでしょうね」

「そこまでは知りませんが」

刑事さん、最後にはもう頼むような口調になってたわね。

「ねえ、森元隆一さんは、何か話していませんでしたか? どんなことでもいいんです。彼はあなたをひいきにしていて、店にくると必ずあなたを相手に飲んでいったそうじゃないですか」

あたしの持ち主は、ちょっと笑った。

「なんにも覚えていません——というより、森元さん、自分の家のことをぺらぺらしゃべる人じゃありませんでしたからね。奥さんのことも、子供さんがいなかったってことだって、事件が起こるまで知らなかったんですよ」

そして、独り言みたいに言ったわ。

「あの人があたしをひいきにしてくれてたのは、あたしが奥さんとは違って、頭も悪くて、垢抜《あかぬ》けなくて、さえない女だったからでしょうよ。きっとね」


その夜家に帰ると、あたしの持ち主は何かを始めた。

ぱらぱらって音がしたわ。新聞をめくってるのかもしれない。ぱたぱたいう音も聞こえたから、ほかの——そう、アルバムみたいなものを見ていたのかもしれない。

いつもなら、夜食を食べてすぐに寝ちゃうのよ。ここでのあたしの定位置は、ドアのそばのフックにかけられるハンドバッグのなかなんだけど、彼女がどこにいても、声や動き回る物音が聞こえるの。狭い部屋なんだ。

ずいぶん長いこと、ぺらぺら、ぱたぱたやってから、ようやく布団に入った。でも、何度も何度も寝返りを打っていた。

そして、こうつぶやいたわ。

「八千万円、か……」

3

「ハイ、葛西と申します。ええ、ええ、そうなんです。ご主人にはいつもごひいきにしていただいてました。……今度のことは、本当にお気の毒です」

翌日、まだお昼前に起き出して、あたしの持ち主は電話をかけた。

驚異だわ。普段なら、誰かが訪ねてきても居留守を使って眠っている時間よ——と、あたしは思った。それからわかったの。

ご主人にはごひいきにしていただいて、だもの。

相手は森元法子さんだ。あたしの持ち主、昨夜《ゆうべ》、新聞をひっくりかえしたり名刺入れをめくったりして、森元さんの家の電話番号を探してたのね。

「遅くなっちゃって悪いんですけど、お線香でもあげさせてもらえません？　あたし、奥様とお話ししたいこともありまして……」

法子さんは承知したらしかった。あたしの持ち主はいつもより時間をかけて支度をして、出かけるとき、あたしの入ったバッグを威勢よくひったくったわ。

元気満々、て感じだった。

森元法子さんは、可愛い声をしていた。

甘ったるいというのかしら。あたし、ちょっとばかり「ミキちゃん」を思い出したわ。

あたしの持ち主は、大げさなくらい悲しい声を出して、お線香をあげたあと鉦《かね》をちんちん鳴らして、派手に鼻をかんだわ。あたし、彼女の膝のそばに置かれたバッグのなかで、それを聞いていた。

法子夫人はずっと静かだった。ほとんど口をきかなかった。話がおかしくなってくるまでは、ね。

あたしの持ち主、いきなりこう切り出した。

「八千万円、なんに使うんです？」

あたし、ぎょっとしちゃった。なんてことを言うのよ。

法子夫人は、すぐには答えなかった。当然だけど。

「まだなにも考えられません。それより、主人を殺した犯人が早く捕まってくれないかと――」

「あら、本当に？」

あたしの持ち主のひどい質問に法子さんは冷静だった。

「本当にって、もちろんそうです。あなただって、わたしの立場に立ったらそう思うでしよう？」

「わからないわぁ」

あたしの持ち主は、裏声で笑った。気がヘンになったのかと思ったわよ。

次のセリフを聞くまでは。

「あたくしね、あなたのご主人から聞いたことがあるんですよ」

「何を？」

「ここんとこ、俺を見る女房の目つきがおかしいんだ。男でもできて、俺が邪魔になってきたのかなぁ……」

沈黙。沈黙よ。

「どういう意味かしら」

法子さんの声、棒みたいに突っ張っていた。

「どうもこうもありませんわよねえ。一年ぐらい前でしたよ、そんな話が出たのは。そうそう、こうも言ってました。『胃の調子が悪いんだ。学生時代から、頭は悪くても胃腸だけは丈夫だって自慢してきたのになあ……』」

「それが何か？」

「だからあたくし、申しましたの。『アブナイわよ。いよいよ奥さん、毒でも盛り始めたのかもしれないわ』」

あたし、持ち主に一度、小銭入れのところに大きなブローチを入れられたことがあるの。痛くて苦しくて、どうにも身の置きどころがなかったものよ。

そのときのことを思い出したわ。あたし、持ち主のバッグのなかで、できるものなら震えたかった。

「くだらないお話ね」

法子さん、すっくと立ち上がったらしかった。

「お帰りください」と、部屋を出ていく足音がする。

あたしの持ち主は、それを追いかけるように声を張り上げた。前の亭主に殴られたとき以来、出したことのないほど大きな声を。

「気取ってんじゃないよ。亭主が死んでうれしくてしょうがないくせに」

今度は、沈黙のなかでおたがいに息を弾《はず》ませている。

「あんたが殺したんだろ。男と組んでさ」

あたしの持ち主の本音が出た。

「ぷんぷん臭《にお》ってるんだよ。警察だって、どんな小さいことでも見逃さないように、あたしみたいな、ただご亭主のいきつけの飲み屋にいただけの女にも会いに来てるんだよ。あんたを追いつめられるようなネタを探してるんだ。奥さん、あんた、ちょっとでもしっぽを出したらそれで終わりだよ」

「そのしっぽをあなたが握ってるってわけ?」

法子さんの声はあくまでも可愛い。

「さあね、しっぽなのかそうじゃないのかは、警察が決めてくれるでしょうよ」

「あなたが今言ったみたいなことは、ただの又聞き。状況証拠でしかないのよ。それがわかってるの?」

馬鹿にしている。その声が可愛らしいのが怖い。

「ふん、状況証拠とやらでちゃんと逮捕されて裁判にかけられてるやつもいるじゃないか。ほら――」

あたしの持ち主は、以前テレビで騒がれた保険金殺人事件のことを言った。

「奥さん、あんた、『ちりも積もれば山となる』って諺《ことわざ》を知らない? 警察はね、今それをやってるんだよ。充分高い山ができたら、あんた、その上で首を吊《つ》られるよ。わかってるのかい?」

「バカバカしい。あなたの言ってることなんか、ほんのちっぽけな冗談話みたいなことじゃないの」

「あたしが、今言ったことのほかにも、もっと何か知っているとは思わないの? ねえ奥さん、あたしはあんたの首ねっこを押えてるのかもしれないんだよ」

あたし、とめ金がはずれるかと思った。

本当なの？　本当に何か知ってるの？

法子さんが、ぺたりと畳に座る音がした。

「何を知ってるの？　主人はあなたにどんな話をしてたのよ」

あたしもそれを知りたい。

「お代をいただく前に品物を渡すバカはいませんよ」

あたしの持ち主、強請屋《ゆすりや》になった。

「……いくらほしいの？」

「さあ」

あたしの持ち主、くすくす笑ってるの。

「いくらかしらねえ。奥さん、保険金はいつ入るの？」

「あなたが何を知ってるのか、それを教えてくれたら答えるわよ」

そう言ってから、法子さん、あたしの持ち主と同じような笑い方をしたのよ。

二人は一緒に笑う。まるで、「アバンチュール」のウィンドウをのぞいて笑い転げた女の子たちみたいに。人間て、どうしようもないときほどゲラゲラ笑うものなの？

「高いことは言いませんよ」

あたしの持ち主は、妙に低姿勢になった。

「無理は申しません。いっぺんでなくたっていいんだし」

「あたしたち、運命共同体だわ」

「なんですって？」

「財布は一つ、ってことよ」

あたし、法子さんの財布にはなりたくない。今のこの持ち主の財布でいることもイヤになってきた。

「金目当てに夫を殺したんじゃないか——という疑いが晴れない限り、わたしは保険金を手に入れることができない。わたしの懐ろにお金がなければ、あなたに払うこともできない。そういうことよ」

法子さんは声をひそめてささやいた。

「だから、お互いにうまくやりましょうよ。これ以上、わたしへの疑いが深まらないようにね」

もちろんあたしには見ることができないけれど、法子さん、くちびるの前に指を一本立てているような気がした。

「犯人が捕まらなくても、わたしへの疑いが晴れればいいんだもの」

「犯人は捕まらなくても、ねえ」

一本調子に繰り返すと、あたしの持ち主はしばらく考えていた。それから言った。

「奥さん、あんた、あたしを油断させてどうかしようったってダメだよ」

「あら——」

「今あたしの身に何かあったら、警察がほっておかないからね。あたしはご主人をよく知っていた女なんだから」

「そんなこと、こっちだってわかってるわよ」

法子さんは可愛く言う。ほっとした雰囲気になると、あたしの持ち主は、相手を試すようなことを言い出した。

「ねえ、奥さん、あたし、今日も手ぶらで帰りたくはないんですよ」

「でも、今も言ったでしょう？　お金はまだなのよ。貯金がたっぷりあるくらいなら、保険金なんか取ろうとしな——」

法子さんは口をつぐんだ。あたしの持ち主は、喉にこもったような声で笑った。

「お金でなくてもいいんですよ」

法子さんは黙ってる。

「さっきから思ってたんだけど、素敵なネックレスをしてるわねえ。それ、エメラルドでしょう？　ダイヤも入っているのかしらね」

「——ええ、そうよ」

「あたし、ネックレスが好きで。でも、本物は高くてね。あたしの稼ぎじゃ、まがいものしか買えないんですよ」

そういうことだったわけよ。結局、あたしの持ち主はそのネックレスを手に入れた。

「これは、奥さんとあたしの契約の手付金ですよ」

そして帰り際、思い出したようにこう訊いた。

「奥さん、あんたと組んだ男は、いったい誰なの？」

法子さんは、あわてずに答えた。

「ねえ、ただでさえ秘密を守るのは難しいものよ。あなたは、今知っていることをしゃべらないでいることだけでも大変だと思うわ。なにもわざわざ、内緒にしておかなくちゃならないことを増やす必要はないじゃない？」

その声も、とっても可愛らしかったわ。

家に帰るタクシーのなかで、あたしの持ち主は口笛を吹いていた。上機嫌で、やたらに運ちゃんに話しかけてた。

「ねえ運転手さん、人間、時には大ばくちを打ってみなきゃ駄目ね」

「お客さん、競馬の大穴でもあてたんですか？」

「そうね。そんなとこよ」

そのあいだ、あたしは何をしてたかって？

あたしと一緒に十二万円を拾って喜んでいた女の声を思い出そうとしていたのよ。その女はどっかに行っちゃったの。

4

しばらくのあいだは、変わりばえのしない生活が続いた。

あたしの持ち主はお店に出る。働く。帰ってきて、お茶漬けやインスタントラーメンの夜食を済ませて、布団に潜り込む。

あいかわらず、あたしはやせてた。ふくらんでない。ふくらんでるのは、持ち主の夢だけ。それも汚ない夢だわ。

事件の方は、どうなっているのかさっぱりわかんなかったの。ニュースでもとりあげられなくなっちゃったし、刑事も訪ねてこなくなった。法子が晴れて八千万円を手に入れるときが近づいているのかしら、と思ったわ。

そんなのないわよ。警察、がんばってよって。

あたしの持ち主は、時々、法子に電話をかけていた。何かねだっていることもある。

「あんまりそちらに近づいちゃいけないって——そりゃ、警察に目をつけられたら困るのはわかりますけどねえ、でも奥さん、あたし、苦しくって。ガス代の滞納が続いてるもんだから、今月はなんとか支払わないと、停められちゃうんですよ。三万——五万ぐらいだったら何とかなるでしょう？　頼みますよ。約束なんだし……」

ね？　わかるでしょ？　あたしの持ち主は、大金をせしめられるときがくるまでは、チビチビとたかりで「我慢」することにしたらしいわ。あたしには見えないけど、あのネックレスもつけてるんでしょうね。

戦利品だもの。

あたしの持ち主は、たかりとったお金をあたしに入れる。

あたし、真っ黒になってゆく。

恐ろしいことが起こったのは、その翌日だった。

あたしの持ち主が襲われたの。車で追いかけられたのよ。

お店は定休日だったわ。あたしの持ち主は掃除をして、買い物をして、それからパチンコに行ったの。

彼女、パチンコに行くと、たいてい閉店までねばっているの。その夜もそうだった。

店を出て、自分の家まで歩く。あたりは静かだったわ。あたしの持ち主が住んでいるところは、夜になるといつもこんな感じなの。

角を一つ、二つ曲がったところで、急に大きなエンジンの音がした。あたしの持ち主ははっとしたように立ち止まった。

あたし、彼女の着ているコートのポケットにいた。彼女が走り出したとき、あたしは揺れて、揺れて、揺れた。

彼女は走って走って、走り続けたわ。はあはあいいながら途中で転びそうになりながら、必死で走ってた。でも、車の音がどんどん迫ってくる。

タイヤがきしんで突っ込んでくる！

もう駄目だ、と思ったそのとき、彼女は道の左側の家のステップに駆け上った。あたしはどすんとひと揺れして、車の音がかすめすぎていくのを聞いた。

「あの女――あの女だ」

あたしの持ち主が最初に言ったのは、その言葉だった。


「あんた、あたしを殺そうとしたわね！」

「わたしが？」

「とぼけるんじゃないよ。あたしを車で轢こうとしたじゃないか」

「まあ、そんなことがあったの？　怪我はなかった？」

「空々しい……」

「あら、だってそれ、いつの話なの？」

「昨日の晩よ。あたし、そのあとさんざん電話をかけたのに、あんた出なかったんでしょう。出られなかったんでしょうよ」

「なんだか知らないけど、わたし、昨夜は友達のところにいたのよ。ちゃんとアリバイがあるわ」

「ふん、また男にやらせたんだろうよ。だけど、言っとくけどね、今あたしが殺されたら、警察はすぐにおかしいと思うよ。だから——」

「その車、白かった？　白い車はたくさんあるわ。夜道を飛ばして走っている車だって同じよ」

「……ちょっと！」

「ねえ、一ついいことを教えてあげる。わたしはあなたと契約をしたわ。円満にね。わたしは満足してる。だからあなたを殺すはずがない。だけど、あなたが交通事故に遭ったり、ガス爆発で死んだりしたら、そこまでわたしが責任を負うわけにはいかないわよ」

「あんたって女は——」

「なにを怒ってるの、おかしな人ね。わたしがあなたを〈殺そうと〉なんかするわけがない。だから、事故に気をつけてよと言ってるだけなのに」

「ご亭主のときとは違って、完全に事故に見せかけてあたしを殺してやるって言いたいんだろう？」

「それはむずかしいわ。とてもむずかしい。ちょっとでも疑われちゃつまらないから、成功するまで、気長に何回もチャレンジして——」

法子は声をたてて笑ったわ。

「ねえ、あなたがわたしから強請りとろうとしている大金には、利息としてスリルがついているのよ。あなたが生き残ってお金をとるか、わたしたちが勝って、誰にも疑われないようにあなたを消しちゃうか、というスリル」

「……」

「どうしても恐ろしくてたまらないんなら、警察へ駆け込んだら？　わたしはかまわないわよ。あなたがお金をあきらめて、そのうえ罪にも問われることになってかまわないなら、どうぞ。あなたは犯人を知っていながら黙っていた。しかも犯人から金を強請りとろうとした。それだって立派な犯罪よね？」

「あたしは……　あたしはあんたみたいに……」

「わたし個人の意見としては、わたしたちとのゲームを続けた方がいいと思うわ。もったいないもの」

法子を呼び出して対決するつもりが、結果はこうだった。

あたしの持ち主、その日のうちに荷物をまとめ始めたわ。引っ越したの。いえ、逃げたのよ。

法子と、誰だか知らない彼女の男の手が伸びてこない場所へ。

そうなの。あたしの持ち主は、お金欲しさに、命懸けの鬼ごっこを始めちゃったんだわ。

5

あたしの持ち主は、まず以前住んでいた町に帰った。そこで昔の知りあいを訪ねて、お金を借りたりして、今度はまったく新しい町へと移っていった。

でも、時々法子の様子を探りに東京に帰っていくのよ。彼女を外に呼び出して、こっそり会っては、またちびちびとお金をたかる。そして、後を尾《つ》けられたり、居所を知られたりしないように気をつけながら、帰っていく。

バカみたいよね、逃げているくせに。

お金を送らせるわけにも、振り込ませるわけにもいかない。あたしの持ち主の頭じゃ、ほかにどうしようもないから、自分で出かけていく。そのくせ、どんなに気をつけても不安と縁が切れなくて、また引っ越す。

おまけに、人を雇って（偽名を使ってね。あたしの持ち主は、いつからこんなことのできる女になっちゃったのかしら）、法子の生活を調べさせているの。もちろん、保険金が入ったかどうかを知るためよ。

警察は、まだまだ法子への疑いを捨てていないらしいし、保険会社も右へ倣《なら》えをしているから、支払いはまだまだ先になりそうだった。

その調査費用も、法子からたかっている。こういうのを堂々巡りっていうんじゃないの。

「死なないようにがんばってね。わたしが保険金を手に入れるまで」

法子、そんなことを言って笑ったわ……。


長い話だったでしょう。疲れたでしょう。あたし、おしゃべりが下手だから。でも、もうすぐ終わりよ。

こんな状態が長続きするはずがない。鬼ごっこはいつかは終わるって、あたしは思ってた。そして、それは正しかった。

今あたしは、持ち主のコートのポケットのなかにいる。もう少しで落ちてしまいそう。なぜなら今、あたしの持ち主は、誰かの肩に担がれて運ばれているところだから。

鬼に捕まったのよ。とうとう見つかっちゃって、ゲームは終わり。

その鬼は男だわ。法子と組んでいる男なんだと思うわ。

あたしの持ち主の、今の住まいにはお風呂がない。だから銭湯に通ってる。その帰り道よ。あとを尾けられてたんでしょうね。どこからかスッと車が寄ってきたかと思うと、なかに引っ張り込まれた。そしてすぐ……。

しばらく走って車を停めると、男はあたしの持ち主の死体を担ぎ出した。

男は歩いていく。あたしはすべり落ちてしまいそうになる。

あたしの持ち主の最後の言葉はこうだったわ。

「ちょっと待ってよ！　待って――」

それっきりだった。あっけなくて――。

きゃ！

あたしは地面に落ちた。男が遠ざかっていく。あたしの持ち主のざんばら髪が、男の肩から逆さまにたれさがっている。

寂しい場所なの。どこを見ても暗闇ばかり。これじゃ誰も、あたしとあたしの持ち主を見つけてくれやしない。

あたしの持ち主は、どんなふうに捨てられるのかしら。どんなふうに、事故に見せかけられるんだろう。


翌朝、あたしは拾われた。

拾ってくれたのは、まだとても若い娘さんだった。近眼なのかしら、あたしをよく見ようと持ちあげて、ぐっと顔を近づけたわ。ほっぺたに産毛《うぶげ》が生えてた。

彼女はジョギングの途中だったみたい。身体を鍛えてるのね。

彼女はバスガイドさんだった。まだ新人で、大勢の同期生や先輩たちと一緒に、寮で暮らしている。

可愛いなあ。この娘はちっともじゃらじゃらしてない。あたし、すぐに決めたの。この娘を「あたしのいい子ちゃん」て呼ぼうって。

ところで、彼女はあたしを交番に届けなかった。一緒にいた友達が、届けることなんかないってとめたのよ。

「でも、お財布だから――」と、あたしのいい子ちゃんは心配そう。

「だって、二千円ちょっとしか入ってないじゃない。それにこんなケバケバしい安物だもん。合皮だしさ。中身だけもらって、捨てちゃいなさいよ。こんなの届けたら、交番だって嫌な顔をするわよ」

殺されてしまった持ち主は、鬼ごっこ続きのために、このごろずっと金欠病だったから。

あたしのいい子ちゃんは、あたしの中身を調べ始めた。

そして、見つけた。

「ねえ、お財布のポケットのところにネックレスが入ってるわよ」

そうなの。あたしの持ち主は、ネックレスをつけたまま銭湯にいって、脱衣場ではずして、あたしの中にしまっておいたのよ。

あの、エメラルドのネックレス。

「あら、きれい……」

「もらっちゃいなさいよ」と、友達。「こんなところに入れておくんだもの、どうせイミテーションだろうからさ」

友達に言われるままに（きっと、その友達と気まずくなりたくなかったのね）、あたしのいい子ちゃんは、寮の部屋にあたしを持って帰った。

「財布は捨てちゃいなさいよ」

「ここに捨てるのは、なんかイヤだわ」

だからそれ以来、あたしは、あたしのいい子ちゃんの部屋にいる。そして、彼女の部屋で、気をつけてニュースを聞いているけれど、あたしの持ち主が事故死体で発見されたということは聞こえてこない。

埋められたのかしら。そう思ったとき、やっとわかったの。

あたしの持ち主は、鬼ごっこのために動き回ってた。だから、突然いなくなっても、不思議に思う人が少なくなっている。

だから、法子と男は、あたしの持ち主を事故死に見せかける必要なんてなくなっていたのね。ふっといなくならせるだけでよかったのね。

ハメられるって、こういうことなんじゃないの？


さて、あたしのいい子ちゃんは喜んでいる。宝石に詳しい人に見てもらったら、あのネックレスが本物だってことがわかったんですって。最初のうちは、「三十万はする本物？

だったらやっぱり交番に――」って言ってたけれど、友達に、

「いまさら届けたら、かえってネコババしようとしたことがバレるわよ」と忠告されて、開きなおっちゃった。

「二人の共同のアクセサリーにしましょうよ」なんて、友達に言っている。

そして、あたしを見て、

「このお財布も、捨てたら可哀想よね。誰か気に入る人もいるかもしれないから、とっておこう」と、にこにこする。

「三十万円のネックレスを出してくれた打出の小槌だもの」

ウチデノコヅチ。

そうよ、あたしのいい子ちゃん。あたしはウチデノコヅチ。あたしを振ると、女の死体が出てくる……。

いつ、誰があたしを振ってくれるんだろう。

今のあたし、それを待ってるのよ。

少年の財布

1

このところ、僕の持ち主は憂鬱《ゆううつ》病にかかっている。

毎日、なんとなくふさぎこんでいるのだ。僕を握り締めて近所の本屋さんに走っていくこともないし、友達とお菓子を買い食いすることもない。おかげで、僕の方は太っている。今、僕の抱いているお金は四千円とちょっと。持ち主の二カ月分のお小遣いがそっくり入っているということになる。

「雅樹《まさき》、このごろ元気ないわね。どうかしたの？」

持ち主のママも、心配してそんなことを言う。インテリア・デザイナーという仕事をしているママはいつも忙しく、時には、一週間以上も子供とまともに話をすることができないことさえある人なんだけど、それでもさすがはお母さん。ちゃんと見抜いてた。

「ご飯もあんまり食べないし……学校で嫌なことでもあった？」

「ううん」と、雅樹くんは答える。「なんでもないよ、ママ」

僕の持ち主の名前は小宮《こみや》雅樹。小学校六年生で、クラスでは学級委員をしている。成績も良いし、かけっこも速い。普段なら、パパやママに心配をかけるようなことは何一つない。ちょっとばかりファミコン・ゲームに熱中しすぎる時がある、ということだけを除けば。

それだから、近ごろの雅樹くんの元気のなさを、僕も気にしていた。

（どうしたのさ？）と、僕は問いかける。彼の腕にぶらさげられた、通学カバンの中から。

（僕のなかからお金を出して、マンガでも買ってお帰りよ。それとも駅前まで行って、サーティワン・アイスクリームをトリプルで食べるなんてどう？）

でも、彼はまっすぐうちに帰ってしまう。そしてすぐに部屋にこもり、僕の入ったカバンをぽんと投げ出すと、ファミコン・ゲームを始める。でも、あんまり気合いの入ったやり方じゃない。気の抜けたような音が何回かしただけで、ゲーム・オーバーの音が聞こえてくることがちょくちょくあるんだ。こんなこと、今までには考えられなかった。

（雅樹くん、何を悩んでるんだよ？）

僕はむなしく呼びかける。それは彼の耳には届かない。だって、僕は雅樹くんの財布なんだから。ぼんやりと窓や天井をながめているに違いない彼の顔を思い浮かべて、そっとやきもきするだけなんだ。

僕と雅樹くんとのつきあいは、彼が小学校の四年生になったときからのものだった。その年から、雅樹くんのママがお勤めを始めたからだ。雅樹くんが小さいときはずっとやめていた仕事だったのだけれど、

「子供も四年生にもなれば、もう自分のことは自分でできるでしょう。雅樹が二十歳をすぎてから、ああ子離れに失敗したわって後悔するより、今のうちからちゃんとしておきたいの。特に雅樹は一人っ子だから、自立心旺盛な子供に育てるためには、わたしがつきっきりでいたんじゃマイナスだわ。母親が仕事を持つことは、必ずしも悪いことじゃないと思うの」という口上を述べ、パパを説得したのだった。

「まあ、君はもともと結婚しても働きたいと言ってたんだしね」

パパはあきらめたような声を出した。

「ただ、このことはよく雅樹と話し合ってくれよ。あの子が傷つくようなことはしたくない」

「それなら、あなたもその話し合いに参加してくれなくちゃ」

ママはきっぱりと言った。

「こういうことを全部わたしに押しつけるのはずるいわ」

「しかし、火元は君なんだぜ。どうしても働きたいなら、こういう関門を乗り越えなきゃ」

「あなたって、いつもそうなのよね。すぐ、僕は関係ないよ、って」

雰囲気が少し険悪になったところで、パパはおおげさなあくびをし、「僕はもう寝るよ」と席を立ってしまった。

「もう、頼りにならないんだから」

ママはぴしゃりとテーブルを叩いた。

僕がこんな会話を耳にすることができたのは、その時、まさにそのテーブルの上に載せられていたからだった。箱に入れられ、包装され、リボンもかけられていたらしい。

僕は、ママから雅樹くんへのプレゼントだった。彼の手に渡されたのは、翌日の午後のことだ。

「ママね、雅樹くんはもう、自分のお財布を持ってもいいころだと思うの」

同じテーブルに雅樹くんと向きあって座り、ママは切りだした。雅樹くんは、箱から取り出した僕を、じろじろと観察するようにながめていた。

「これからはお小遣いも、週に一度じゃなくて、月に一度あげることにします。きちんと計画して使うように考えてね。お小遣い帳もつけるといい――」

好きなんだ。

「ママ、お勤めに出るんでしょ?」

雅樹くんはあっさりと言った。僕はいっぺんで彼が気に入ってしまった。頭のいい子は好きなんだ。

ママは不意をつかれ、親の威厳を取り戻すために、ちょっと間をおいた。

「どうしてそう思うの?」

「ここんとこ、しょっちゅうパパとその話ばっかりしてるじゃない」

「ええ……でも、夜遅くなってからのことよ。あなた、どうしてそれを知ってるの?」

「おしっこに行くとき、聞いちゃったんだ」

雅樹くんは僕のファスナーつきのポケットを開け、なかをのぞきこんだ。

「ママ、雅樹には、自分のことは自分でやらせたいって言ってたでしょ。その手始めにまず財布を持たせて、もう自分のお金の管理をできるくらい大きくなったんだってわからせて、それから折りを見てママがお勤めに出ることを打ち明ける、って」

そのとおり。

ママは溜め息をついた。こんな場合、母親としてはそうするしかないだろうなあ。

「そこまでわかってるなら、いいわ。そうなの。だから、今までみたいに雅樹につきっきりではいられなくなるのよ」

雅樹くんは僕をテーブルに置いて、こっくりとうなずいた。

「僕、大丈夫だよ。ママがお勤めに出ても」

そんな次第で、僕は雅樹くんのものになった。以来、ずっと一緒だ。

僕のなかには、彼の大事なものがいろいろ入っている。友達からもらったカードや、記念切手。早苗《さなえ》おばさんが海外旅行のお土産《みやげ》にくれた、フランスの硬貨。テレホンカード。もちろん、毎月のお小遣いもきちんとおさまってる。

そしてそのお金とは別に、いちばん内側のポケットに、二千円入っている。これは、ママが雅樹くんに預けているものだ。

「いいわね、これはお小遣いとは違うのよ。普段は使っちゃ駄目よ」

この二千円は、もしなにか急な用事ができて、雅樹くんがママの仕事場に駆け付けたいと思うときのための、タクシー代なんだ。だから、お金と一緒にママの名刺も入っている。

「タクシーに乗ったら、運転手さんにこれを見せれば、連れてってくれるからね」

僕はおかしくなった。そんなことをしなくても、雅樹くんは一人でちゃんとママの仕事場まで行くことができるって。

僕はビニール製の財布だ。ママが、もし水に濡れるようなことがあっても大丈夫なように、と考えて選んだのだそうだ。色はスカイブルーで、脇に大きく「ＨＡＶＥ　Ａ　ＮＩＣＥ　ＤＡＹ」という文字が書かれている。そしていつも、雅樹くんのカバンのなかに入れられている。

「可愛いお財布ね」

最初にそう言って僕をほめてくれたのは、早苗さんだった。

この人は、ママの五つ年下の妹。だから雅樹くんのおばさんだ。雅樹くんのママは、早くに両親を亡くしたので、ずっと妹と二人きりで過ごしてきたそうだ。だから、とても姉妹仲が良く、早苗さんはしょっちゅう小宮家に出入りしている。

つきあいの長くない僕にさえ、彼女が雅樹くんを可愛がっていることと、雅樹くんがこのおばさんを好いていることがよくわかる。

ママもそのことは気がついている。こんなことを言ったこともある。

「早苗ったら、雅樹が赤ちゃんのころ、ウンチのおむつまで洗濯してくれたことがあったもんねえ。母親のわたしだって気が重かったのに」

早苗さんは明るく笑った。いつ見ても健康的な小麦色の肌をしていて、その肌にふさわしい声を出す人なんだ。おばさん、と呼んでは気の毒なくらいはつらつとしている。

「案外平気だったのよね。甥《おい》っ子《こ》ってこんなに可愛いものかなって、自分でも不思議だったわ」

「そんなものかしらね。まあ、わたしがその辺のことを実感として理解するためには、早くあなたが身をかためてくれなくちゃ」

「そうね。なるべく早くそうすることができるように頑張るわ」

そう言いつつ、早苗さんはなかなか結婚しなかった。大きな商事会社に勤めていて、年に一度は海外に出掛け、お土産を山ほど買い込んで、小宮家にやってくるというのが習わしだ。

そして、今年。正月休みに中国へ行ったとかで、手のこんだ刺繍《ししゅう》のテーブルクロスを買ってきた。

「それから、これはマー坊に」

早苗さんは雅樹くんを「マー坊」と呼んでいる。

「なあに？」

「開けてごらん」

学校から帰ってきたばかりだった雅樹くんは、手洗いとうがいを後回しにして、おばさんからのお土産を開けてみた。

「まあ、きれい」と感嘆の声をあげたのは、ママだった。

「鈴だね」と、雅樹くん。振ってみたのだろう。かたわらの椅子の上に置かれたカバンのなかで、僕は「チリンチリン」という音を聞いた。

「素敵なブルーでしょう。やき物なんだけど、いい音色でしょう」

「雅樹、お財布につけたら」と、ママが言う。

「お財布には音の出るものをつけておいた方がいいのよ」

雅樹くんはカバンから僕を取り出し、止め金のところに鈴を結びつけた。少し重たいが、雅樹くんが僕を動かすたびに涼しい音がこぼれる。

「おばさん、ありがと」

「どういたしまして。とっても素敵な旅だったから、せめてお土産で幸せのおすそわけ」

その口調には、何か大切なものをそのなかにそっとくるんでいるような響きがあった。

ママは敏感だった。

「なあに？　何かいいことがあったの？」

ふふ、と、早苗さんは笑った。

「もったいぶらないで教えなさいよ」

せっつくママに、彼女は逆に質問した。

「姉さん、義兄《にい》さんと出会ったとき、ピピッと感じるものがあった？」

「え？　どういうこと？」

「つまり、あ、わたしは将来この人の奥さんになるわって感じたかってこと」

ちょっと間をおいてから、ママは吹き出した。

「やあねえ、何を言い出すかと思えば。雅樹のいるところで」

「あら、いいじゃない。マー坊だってもう赤ちゃんじゃないわよね？」

雅樹くんの返事は聞こえなかった。どんな顔をしてるのかな、と思った。

「ねえ、早苗……」ママはゆっくりと言う。早苗さんの顔をのぞきこむようにしているに違いない。

「あなた、もしかして――」

早苗さんは、またくすぐったそうに笑った。

「そうなの。姉さん、わたし、そういう人に出会ったのよ。顔を見たとたん、パッと閃《ひらめ》いたの」

「ツアーで一緒だった人？」

「ええ、そうよ。夢みたいに楽しかったわ」

早苗さんは高らかに宣言した。

「わたし、その人と結婚することになるわ。きっと」

早苗さんの直感はあたっていた。この結婚話は急テンポで進み、春には婚約がまとまった。早苗さんは太陽のように光り輝いており、その周辺には、どこを見回しても一片の雲もなかった。

挙式は六月。早苗さんはジューンブライドになるのだ。妹の結婚に、ママも浮き浮きとはしゃいでいる。

ただ、雅樹くんだけが憂鬱病にかかっているんだ。

2

その病気の原因がわかったのは、早苗さんの結婚式があと一週間後に迫った、土曜日の午後のことだった。

梅雨の晴れ間で、薄日がさしているらしい。学校からの帰り道、僕はカバンのなかで、雅樹くんが友達とかわす言葉を聞いていた。

「久しぶりで太陽がまぶしいね」

「蒸し暑いや」

「早く夏休みがこないかなあ」

僕は、早苗さんの結婚式の日もこんな天気だといいなと思っていた。そして、雅樹くんが今まで一度も、仲良しの友達にさえ、「もうすぐおばさんが結婚するんだ」という話をしなかったことに気がついた。男の子だから、そんなことはしゃべらないものなのかなあ。

「ただいま」

雅樹くんがドアを開けると、ママの声が答えた。

「おかえりなさい。お客さまよ」

すぐに、別の声がした。物慣れた、なめらかな声。

「こんにちは。お邪魔しています。雅樹くん、ちょっと見ないうちに大きくなったわねえ」

誰だっけ、と僕も思った。雅樹くんも同じだったのか、足をとめたまま返事をしないでいる。ママが笑った。

「いやねえ、覚えてないの？　遠山《とおやま》さんよ。保険屋さんの。火災保険の書き替えに来てもらったのよ」

「一年に一度しか会わないもの、忘れちゃうわよねえ」

遠山さんという保険屋さんも調子をあわせてくれたけれど、雅樹くんは何も言わずに部屋に向かった。

「お昼ご飯、食べないの？」と、ママの声が追いかけてくる。

「今はいらない」

雅樹くんは階段をのぼりながらぼそりと答えた。そのまま部屋に入り、カバンを投げ出す。ベッドのスプリングのきしむ音がした。寝転がったんだろう。

かなり時間がたってから、ドアをノックする音が聞こえた。

「雅樹、ママよ。入っていい？」

ドアが開く。

「寝てるの？」

雅樹くんの声は聞こえない。ママが部屋に入ってきて、雅樹くんの椅子《いす》に腰をおろす音がした。

「ね、雅樹」

ママがベッドの方に乗り出したのか、椅子がぎいっときしんだ。

「少しママとお話ししない？　このごろ、あなた元気ないでしょう」

雅樹くんはウンともスンとも言わない。

「そのことで、話したいの。さっき遠山さんと話してて、あなたがこのごろ様子がヘンだって話題になって――遠山さんに言われたのよ。あの人は、もうお孫さんもいる人だから、こういうこともよくわかるのかもしれないわね」

なんのことだろう？

「ねえ、雅樹。あなた、早苗おばさんがお嫁にいっちゃうんで、寂しいんじゃない？　おばさんをとられちゃうような気がするんでしょう。それで元気がないのね。違う？」

しばらくして、雅樹くんが起き上がる気配がした。

「遠山さんがそう言ったの？」

「ええ。子供さんがそんなふうにやきもちを焼くことは、よくあることですって。ママ、そんなこと考えてもみなかったんだけど……」

雅樹くんはじっと黙っている。

「そうなの？　まあちゃん、塚田《つかだ》さんに早苗おばさんをとられちゃうような気がして、辛《つら》いのかしら？」

塚田さんというのが、早苗さんの結婚相手の名前なんだ。塚田和彦《かずひこ》。

今まで、何度もこのうちを訪ねてきている。早苗さんにとって、雅樹くんのパパとママは親代わりなんだから、当然だ。残念ながら、僕は姿を見たことはないけれど、はきはきしたしゃべり方で、なかなか男らしい声を出す人だ。

「ねえ、ママ」

「なあに」

「ママは塚田さんのこと、好き？」

ママはちょっと黙った。どう答えようか、考えているんだ。

「いい人だと思うけど。どうして？」

雅樹くんは、まるで（ママ、おねしょしちゃった）と言うように、面目なさそうにつぶやいた。

「僕、どうしてもあの人を好きになれないんだ」

ふうん、と、ママは言った。また椅子がきしんだ。

「どうして好きになれないの？」

今度も、雅樹くんの返事が聞こえてくるまで、だいぶ時間がかかった。

「なんとなく怖いんだ。あの人、何かヘンなことを考えてるような気がして……」

「ヘンなこと？　たとえばどんな？」

雅樹くんはまたベッドに寝転んだらしい。布団をかぶったのか、次の言葉はくぐもって聞こえた。

「わかんない。わかんないけど、早苗おばさんはあの人と結婚しちゃいけないって気がするんだ。ゼッタイ駄目だよ。僕、わかるんだ。怖いんだよ」

怖いんだよ。その言葉が嘘ではないと、僕にはわかった。

雅樹くんは犬が苦手だ。小さいころ、近所で飼われていたシェパードに嚙《か》みつかれたことがあって、以来どうしても、犬を見ると逃げだしたくなるんだって、友達に話していたことがある。

(ただ怖いんだ。ホント、怖いんだよ)と、真面目な声で言っていた。

今の「怖いんだよ」は、その時と同じ口調で言われ、同じ色合いを持っていた。雅樹くんは心のどこかで、大人にはない敏感なレーダーで、塚田和彦という人間のなかに、自分を追いかけてきて嚙みついた犬と同じような恐ろしい部分を感じとっているんだろうか。

「ねえ、雅樹」

ママが静かに言った。悲しそうな、せつなそうな声だった。

「ママ、それがやきもちというものだと思うな……あなたの気持ちはわかるけど、根拠もなしに誰かを怖がるなんて、よくないわよ」

「わかってるよ。でも、どうしてもダメなんだ。僕、あの人に会うといっつも、怖くてたまらないんだ」

「そのこと、早苗おばさんに話した？」

返事は聞こえなかったけれど、雅樹くんは首を横に振ったのだろう。ママはこう言った。

「そう。よかった。おばさんにそんなことを聞かせたら、きっとすごく悲しむからね。雅樹、塚田さんのことは、パパもママもちゃんと調べたのよ」

それは初耳だった。

「大事な妹をお嫁にやるんだもの、相手がどんな人なのか、パパやママだって心配だったからね。それで、塚田さんはちゃんとした人だってわかってるの。いい大学を出て、きちんとした会社にお勤めして、お金を貯めて、そのお金を資金にして——資金ってわかるわよね？——今はお友達と二人で大きなレストランを経営してるのよ。ご両親もちゃんとした方だし、なんにも心配することないわ。だから、そんなこと考えるのはやめなさいね？」

雅樹くんは返事をしなかったけれど、ママは部屋を出ていった。

その夜遅くなってから、パパとママがそろって雅樹くんの部屋をのぞきにやってきた。

雅樹くんは寝息をたてていた。

「驚いたな」と、パパが声をひそめて言う。

「あいつ、そんなことで頭を悩ましてたのか」

「そろそろ思春期なのかしら」

「どうかなあ。プレ思春期ってとこじゃないか？　ただ、早苗さんには可愛がってもらってきたからねえ」

「塚田さんに嫉妬してるんだと思う？」

「ああ。考えられないことじゃない。俺にも昔、似たような覚えがあるよ。七つ年上の従姉《いとこ》が嫁にいくとき、さ」

「へえ〜」と、ママがからかう。パパはあわててさえぎった。

「そんなとんきょうな声を出すなよ。雅樹が目を覚ますじゃないか」

「その時はあなた、どうしたの？　誰かに相談した？」

「いいや。時が来たら、自然に乗り越えられたよ」

「わたし、早苗に頼んで、あの子から雅樹に話してもらおうと思ってるんだけど……」

「話すって？　早苗おばさんは結婚したってずっと雅樹のおばさんだよ、ってか？」

「ええ」

「よせよせ」と、パパはすぐに言った。「そんなことをしたって、ただ早苗さんに余計な心配をかけるだけで、今はなんにもならないよ。雅樹が自分で解決するしかないさ。放っておけよ。それがいちばんだ。そのうち塚田さんと仲良くなって、忘れちまうよ」

「そうかしら」

二人はそっとドアを閉めた。僕と雅樹くんは暗闇に取り残された。


それでも、パパはパパなりに考えていた。

翌日、「おい、たまには野球を観にいこう」と、雅樹くんを誘った。

「外で美味《おい》しいものでも食べていらっしゃい。ママは一人でのんびりするわ」

というわけで、パパと雅樹くんは連れ立って出かけ、騒々しい音をたてる地下鉄に乗って、神宮《じんぐう》球場というところについた。僕は雅樹くんのズボンのポケットのなかにいた。

ナイターを観戦し、雅樹くんはパパにペナントつきの帽子を買ってもらい（お小遣いがあるよ）（今日はいいよ、パパのプレゼントだ）、そのあと、二人はレストランに入った。

「いい試合だったたな」

ステーキセットを頼んで、パパは言った。

「どうだ、少しは気が晴れたか？」

ママには「放っておけ」と言ったくせに、パパは抜け駆けのうまい人だったんだ。それから一時間ほどの間、自分の体験談も織り交ぜながら、パパはこんこんと雅樹くんを説得した。

「おまえの気持ちはよくわかる。でもな、早苗おばさんは、おまえだけのおばさんじゃないんだぞ。これからうんと幸せになろうとしてるんだ。おまえも、少しは寂しいのを我慢しなくちゃ」

「僕……寂しいから言ってるわけじゃない……。本当に塚田さんが怖いんだよ。早苗おばさんがあの人と結婚するなんて、間違ってると思うんだ」

「うーん、そこが難しいところだ。パパも昔、今のおまえと同じような気持ちになったとき、そう考えた。自分だけは、従姉があんな男と結婚しても幸せになれないことを知っている。みんなにはわからないけど、自分だけにはわかるんだ、ってな」

「ホント？」

「本当だとも。人間の心というものはな、雅樹、自分の信じたいことを信じてしまうようにできてるんだよ」

パパの声は優しかった。

「塚田さんは怪しい人じゃない。早苗おばさんが好きになった人で、立派な人だ。心配しなくていいんだよ」

かなり長い間、僕は雅樹くんのポケットのなかで、レストランの店内に流れる音楽を聞いていた。やがて、雅樹くんがつぶやいた。

「うん……そう思うようにしてみるよ」

雅樹くんはその約束を守った。夜、ベッドのなかで転々と寝返りを打っていることはあるけれど、少しずつ、少しずつ、努力して気持ちを切り替えようとしているのが、僕にはよくわかった。

パパもママも、それは感じているらしい。できるだけ明るい話題を選んで、週末の結婚式のことには触れないようにしている。

水曜日に、早苗さんがやってきた。

「今日は塚田さんが一緒じゃないの？」

「彼、いろいろと忙しくて。経営者ですからね」

「結局、新婚旅行はどうなったの？」

塚田さんのスケジュールが調整できないので、新婚旅行は当分お預けになりそうだ、と話していたのだ。

「すぐには無理だけど、来月の初めにはなんとかなりそうなの。彼のお友達が旅行代理店をやっているので、そこで手配してもらうのよ」

「どこに行くんだい？」と、パパ。

「サイパンよ。わたしたち今、二人ともスキューバに夢中だから、たっぷり潜ってくるわ」

そのとき、雅樹くんは学習塾に行く支度を終えて、カバンを提げ、大人たちの集まっている居間の隅に腰掛けていた。出かけようとしたときに早苗さんが来たので、そのままためらっていたのだ。

「雅樹、そろそろ行かないと、遅れるわよ」

ママに促されて、ようやく立ち上がった。そして言った。

「早苗おばさん」

「うん？」

「いっぱい、幸せになってね」

雅樹くんはそのまま表に走り出てしまったので、その後、小宮家でどんなやりとりがあったのか、僕は知らない。でも、早苗さんは泣いたんじゃないかなあ。賭けてもいいよ。

雅樹くん自身も、それでふっきれたようだった。

3

結婚式の当日がやってきた。

ただ一つの不安材料だった天気にも恵まれて、控え室に集まった親族たちは、「よかったですねえ、いいお日和《ひより》で」と、喜んでいる。やがて、支度を終えた花嫁がやってきたらしく、そんな会話をかき消してしまうほどのどよめきが起こった。

雅樹くんのいでたちを、ママは、「今日は正装よ」と表現していた。それなのに、彼は僕をズボンのポケットに忍ばせてくれた。正確には、僕よりも、僕についている鈴を持って行きたかったからだろうとは思うけど。

なめらかなポケットのなかで、僕は式にも披露宴の様子にも耳を傾けた。塚田さんの経歴は、基本的にはママが話していたのと同じだったけれど、司会役の人は、それをもっとオーバーに説明していた。彼は「まれにみる秀才」で、「若き経営の天才」なんだそうだ。初めて事業を興したのが大学三年のときだったのだそうだから、まあ、商才のある人であることには間違いないのだろうけどね。

その割りには、今現在、塚田さんとレストラン「ジュヌビエーブ」を共同経営している、畠中《はたなか》という人の祝辞はぱっとしなかった。塚田さんよりはだいぶ年長の人のようだけど、声に貫禄がない。ぼそぼそと歯切れが悪く、スピーチというよりは、キセル乗車を発見された乗客が駅員に言い訳しているときのようだ。

ただ、花嫁の美しさは完璧に近いものだったようだ。「わあ、きれい」という溜め息のような歓声を、僕は何度も聞いた。

「まさに好一対のお二人ですね！」司会者が声を張り上げる。新郎の友人が「塚田、三十六まで待ってて良かったな」と、うらやましそうにスピーチした。

キャンドル・サービスという儀式が終わったあと、雅樹くんは席を立った。

「どうしたの?」と、ママ。

「トイレ」

雅樹くんはすいすいと歩いていく。絨毯《じゅうたん》が厚いのか、足音が聞こえない。洗面所まできてようやく、彼の靴音が聞き取れた。よそ行きの靴をはいている。

用を足して出てきたとき、うしろから誰かに呼び止められた。

「ねえ、ぼく」

ひそめた声だ。女性だった。雅樹くんは振り向いた。

「こんにちは」と、その声は言った。相手が近づいてきたのか、雅樹くんはちょっと後ろに下がった。

「ぼく、塚田さんとこの結婚式に来てる子よね?」

雅樹くんは答えない。相手の声が笑いを含んだ。

「そんなにびっくりしないで。わたし、新郎のお友達なの。ねえ、おつかいをしてくれない? これを塚田さんに渡してほしいのよ。いい子ね? できるわよね?」

そして、さっと雅樹くんの手に何かを握らせたらしい。雅樹くんは驚きで何も言えず、棒立ちになっている。

相手の女性は走って遠ざかっていく。絨毯の上でも、その足音は聞こえた。ハイヒールがト、ト、ト、と音をたてている。

雅樹くんはじっとしている。それから、女の子から手渡されたバレンタインのチョコレートを隠すように、手のなかのものをズボンのポケットにつっこんだ。それは僕の隣りに滑りこんできた。

どうやら、名刺らしい。

あの女、なんだろう。これはどういうことだろう。

僕にはわけがわからなかった。それは、雅樹くんも同じだったのかもしれない。にわかに元気がなくなって、披露宴が終わるまで、一言も口をきかなかった。

雅樹くんは、結局、妙な女から託された名刺のようなものを、塚田さんには渡さなかった。

忘れてしまったわけではない。時々ポケットに手を入れては、それがそこにあることを確かめているのだから。それなのに、渡さなかったのだ。

おかしい。なんなんだ?

家に帰る前に、雅樹くんはまたトイレに行って、問題の名刺のようなものを、僕のなかに入れなおした。捨てることも失くすこともできないものなんだ。だから、それはずっと僕のなかにある。名刺のような、おかしなもの。わけありそうな、ハイヒールの女。塚田さんの友達だって言ってたけど、それならどうしてじかにお祝いを言わないんだ？

そのおかしなものから何か悪い病気でも感染《うつ》されたかのように、雅樹くんはまたふさぎこむようになった。新婚カップルとなって小宮家を訪れた塚田さんと早苗さんの明るさと、まるで逆だ。

「やっぱり、また寂しさがぶりかえしてるのかしらね」と、ママはパパにささやく。

「少し様子を見てみよう。すぐ元気になるさ」

そんなパパとママの気づかない、闇のいちばん深いところで、雅樹くんはまた眠れない夜を、寝返りをうちながら過ごしている……。

4

「保険を？」

「ええ。新婚旅行に行く前にかけておこうって、彼が」

結婚式から一週間後。早苗さんが小宮家を訪ねてきて、ママと話している。

雅樹くんは学校から帰ってきたところだ。早苗さんが来ていることを知ると、部屋にカバンを置きにいくこともせずに、そのまま二人のそばに座り込んでいる。どんな表情をしているのだろう。

保険をかけたいと言っているのは、早苗さんだった。塚田さんが、結婚を期に、二人で生命保険に入ろうと提案したのだそうだ。

「塚田さんは当然だとしても、あなたはいいんじゃないの？　もうお勤めだって辞めてしまったんだし。掛け金だってバカにならないわよ」

ママが言う。僕もそう思う。でも、早苗さんは笑って、

「掛け金なら心配はないの。ちゃんと払えるわ。どうせなら、大きいのに入っていた方が安心だもの。ほら、ただの生命保険だけじゃなくて、入院給付金とか、その他もろもろついているヤツよ。なんといっても彼は経営者ですからね。万が一病気なんかで倒れられたら困るし、わたしだって、なにかの時に彼に迷惑をかけないようにしたいわ」

「でも、ずいぶん急な話ねえ」

「だから、新婚旅行に間にあわせたいのよ。安心料よ、お姉さん」

ママは考え込んでいるらしい。やがて、早苗さんが気を悪くしないようにと気をつかってか、いいお天気ねという時のような調子で、つぶやいた。

「結婚したとたんに生命保険の話を持ち出すなんて、わたしはあんまり好きになれないわねえ」

早苗さんはくすくす笑った。もともと、怒ったりふくれたり声を荒《あら》らげるようなことはめったにしない人なんだ。

「姉さんたら、やあね。テレビドラマの観すぎよ。保険のことを言い出したのは、塚田さんじゃなくてわたしの方なんだから」

「あなたが？」

「ええ、そうよ。彼ったら、そういうことにはてんで疎《うと》いの。畠中さんもそう言って笑っていたけど、今まで保険なんか一つも入ったことがないの。健康保険に入っていれば充分だよ、なんて言ってるくらいよ」

ホントかなあ……そのとき初めて、僕は早苗さんの話に疑問を感じた。塚田さん、それほど呑気《のんき》なタイプの人には思えない。それに、早苗さんの熱心な様子からは、自分で思いついたことを実行しようとしているというよりは、無意識のうちに誰かに焚《た》き付《つ》けられてその気にさせられている、という感じを受ける。子供はそういうことには敏感なんだ。だって、いつも大人にコントロールされていて、なんとかそれから抜け出ようとしてるんだから。

「保険会社ともつきあいがないから、契約についても君に任せるよって言ってるわ。だから、姉さんがお世話になってるところ、ほら――」

「遠山さん？」

「そうそう、遠山さん。あの人に頼もうと思うの。紹介してくれないかしら」

ママは（やれやれ、早苗には勝てないわね）というように笑った。

「いいわよ。連絡してみるわ。あの人も忙しい人だけど、来週の中頃なら来てもらえるでしょう」

「ありがとう。助かるわ」

そう言ってから、早苗さんは雅樹くんに話しかけた。

「マー坊、どうしたの？　お腹《なか》でも痛い？　おばさんの買ってきたケーキ、美味《おい》しくない？」

雅樹くんは、さっきからずっと言葉を失くしたように黙りこくっている。このときも、返事は聞こえなかった。ちょっと気まずくなった。

たぶん、ママが早苗さんに目くばせでもしたのだろう。彼女は「マー坊ったら」と優しく言った。

パパには（早苗さんには話すなよ）と言われたけれど、ママはこっそり、早苗さんに雅樹くんの複雑な心境を打ち明けていたのかもしれない。

でも、二人とも結婚式場の妙な女のことは知らない。問題はそれなのに。

そうだよね、雅樹くん？　そんなふうに落ち込んでいるのは、結婚式場であのヘンな女から渡されたまま、今も僕のなかに隠してある名刺みたいなもののせいだよね？

もちろん、雅樹くんから答えがもらえるわけもない。その謎は、もっととっぴで思いがけない形で解けることになった。

5

その週の土曜日の午後、雅樹くんは新宿へ出かけた。新しいファミコンのゲーム・ソフトの発売日だったんだ。

といっても、本人はあまり乗り気じゃなかった。それどころじゃない、という気分なんだろう。でも、そのゲーム・ソフトはものすごく人気の高いもので、予約整理券がないと買うことはできない。無駄にするにはもったいないし、ママにも、

「雅樹、買いに行かないの？　あなた、そのためにお金を貯《た》めてたんでしょ？　すごく楽しみにしてたじゃない。だから、ママも一生懸命並んで整理券を手に入れてあげたのに、ヘンな子ね」とチクリと責められて、出かけることになったんだ。

整理券があったので、周りの騒動をスイスイとよけて、雅樹くんはゲーム・ソフトを手に入れた。店を出ると、いつものようにほかの売場をぶらぶらすることもなく、駅に戻る。僕には見ることができないけれど、うなだれているんじゃないかな……。

新宿から電車に乗り、家に近い駅で降りる。改札を抜けてから、雅樹くんはちょっともじもじし、ＢＧＭがにぎやかに流れてくる方向へと向かった。ステーションビルだ。トイレに行くつもりらしい。

そして、そのトイレのなかで、コワイ連中に捕まってしまった。

たぶん、新宿からずっと尾《つ》けられていたのだ。狙《ねら》いはもちろん、買ったばかりのゲーム・ソフト。

本当にこういう連中がいるんだ。僕はびっくりした。整理券が手に入らなかったのか、あるいは最初から他人のものを盗むつもりだったのか、とにかく、連中は雅樹くんを取り囲んだ。三人ぐらいいるらしい。雅樹くんをトイレの壁に押しつけて、

「よこせよ」とソフトを取り上げた。凄《すご》んではいるけど、まだ子供の声だ。せいぜい中学生だろう。

「おい、財布も出せよ」

なんてやつらだ！　と憤慨する間もなく、僕は連中の一人の手のなかにいた。

「ヤダよ、それだけは返してよ！」

叫ぶ雅樹くんの声を置き去りに、僕を奪ったヤツはどんどん走っていく。走りながらそいつが、「ざまーみろ！」と大声で笑うのを聞いた。

そいつは自分の家に着くまで、僕をズボンのポケットのなかに入れていた。お菓子の屑が隅の方にこびりついた、汚ないポケットだった。こいつのママは、雅樹くんのママのようなきれい好きじゃないんだ。だいいち、こいつは家に帰っても、ただいまも言わない。

すぐに仲間と部屋に閉じこもり、ゲームを始めた。僕から抜き取ったお金で何か買ってきて、むしゃむしゃ食べている。

僕はどこにいたかって？　その部屋のゴミ箱のなかさ。

連中はお金だけを盗《と》って、あとは手をつけなかった。だから僕は、雅樹くんのママの名刺と、例のヘンな女から渡された名刺みたいなものと、記念切手やテレホンカードなどを抱いて、ゴミのなかに埋もれていた。

そこから救け出されたのは、月曜日の朝のことだった。僕を泥棒して捨てたヤツのお母さんらしい人がきて、ゴミ箱の中身をビニール袋にあけたんだ。

それだけだったら、小さな僕は、紙屑にまぎれてしまっただろう。でも、僕には早苗さんの鈴がついている。

ちりん、と音がして、お母さんは僕に気づいた。

それからが大騒ぎだった。怒鳴りあいだ。

「おまえったら、これはなんなの！　またやったんだね！」

「うるせえな、てめえにはカンケーねえだろ、クソババア！」

「母さんはおまえをコソ泥に育てた覚えはないよ！」

ああ、なんて家庭だ。

ヤツから事情を聞き出すと、ヤツのお母さんは僕の中身を調べた。ママの名刺のところに電話してくれればいいのに——と思っていると、僕をハンドバッグのなかに押し込んで、外に出た。

どこに着いたのか、すぐにはわからなかった。「いらっしゃいませ」という声がして、きれいな音楽が流れている場所。

「あのお……こちらに塚田さんて人はいますか」

ヤツの母さんがそう切りだしたので、僕はびっくりした。そうか、ここは塚田さんの経営するレストラン、「ジュヌビエーブ」なんだ。

でも、なぜ彼に？


「お話はよくわかりました」

静かな場所で——たぶん塚田さんのオフィスだろう——やつの母さんと話をして、塚田さんはすぐに言った。

「あなたの息子さんが盗んだこの財布は、確かに僕の甥の雅樹のものです」

「あら、盗んだわけじゃないんですよ」と、ヤツの母さんは図々しいことを言う。「子供同士のことですから、ちょっとした悪ふざけで。だから、こうしてゲームもお返ししますしね。ですからこのことは——」

「わかりました。内聞にしておきましょう」

ヤツの母さんは気持ちの悪い笑い声をたてた。

「よかったですよ、こちらに伺って。名刺がふたつあったんで、どっちに行こうか迷ったんですけどね」

名刺が二枚あった？　一枚は雅樹くんのママのだ。もう一枚は？

当然、あの女が「塚田さんに渡して」と雅樹くんに頼んだものだ。あ、あれは、塚、塚田さんの、め、名、名刺だ、だ、だったんだ。

「でもねえ、こちらの、お宅さんの名刺の裏には、なんだかわけありそうなことが書いてありましたからね。それで、こちらに先に見せた方がいいんじゃないかしらねえと思いましてね」

ヤツの母さんは、窓ガラスを爪でひっかいたときのような声を出した。笑ってるのだ。

「ねえ……『わたしは約束を忘れてないわ　あなたを愛してる　N』って、書いてあるでしょう？　これ、何かしら。でも、とっさに、ああこれはこの名刺の人の奥さんには知れたらまずいだろうなって、思いましたよ。あたし、そういうことには気が利くんです」

「たいした意味のあることではないんですよ」塚田さんは硬い声で笑った。

「あら、そうですか。じゃあ、気をまわしすぎちまったのかしら。それで、お金の方ですけど、これを持っていたぼっちゃんが、いくらぐらい財布に入れてたのかわかりませんでねえ」

「いや、それは結構ですよ。私の方でなんとかしましょう」

「あらま！　悪いですねえ」

ひどいなあ。ヤツの母さんは、最初から、自分の息子が雅樹くんから盗んだお金を返すつもりなんかなかったんだ。

いいや、それだけじゃない。黙っていればわからないことをわざわざ報《し》らせにきたのは、僕を――正確には僕のなかに入っていた問題の名刺を――届けにきたのは、うまくいけば、それで礼金ぐらいもらえるかもしれないと思ったからなんだろう。

この親にして、あの子あり。

塚田さんは、このことは表ざたにはしませんからと請け合って、粘るヤツの母さんを部屋から追い出した。一人きりになると、平手で机をバン！　と叩いた。僕は飛び上がった。

それから、電話をかけた。だが相手は出ず、留守番電話が応答したらしい。塚田さんは怒鳴るようにしてメッセージを入れた。

「おい、なんであんなことをしたんだ。あの名刺はどういうことだ。危うくとんでもないことになるところだったぞ。いいか、俺は新婚なんだからな。計画どおり、おまえは俺の周りをうろちょろするんじゃない。いいな？」

叩きつけるようにして受話器を置く。そして呼吸を整えてから、もう一本電話をかけた。

「やあ、雅樹くんかい？」

三十分ほどして、塚田さんは「よくきたね」と言った。

雅樹くんが電話で呼び出され、ここまでやってきたのだ。僕はまた彼と会うことのできたうれしさと、事態がどうなっていくのかという不安とにはさまれて、ぺったんこになっていた。

「君の財布と、ゲーム・ソフトだよ。ひどい目にあったね」

雅樹くんは沈黙していた。喉の奥に重りでも降りているように黙っていた。しばらくして、低い声で訊いた。

「どうして、塚田さんがこれを持ってるんですか」

「このなかに入っていた僕の名刺を見て、届けてくれた人がいるんだ。その人は、君からこれを盗んだ子のお母さんでね。謝りにみえたんだよ」

塚田さんの机の上に置かれていた僕を、雅樹くんは手のひらで包み込むようにして取り上げた。

「君、財布とゲームを盗まれたことを、ご両親には話してなかったんだね?」

雅樹くんはうなずいた。

「心配させたくなかったのか。君は優しいね」

それまで眠っていた番犬がさっと頭をあげたかのように、雅樹くんは鋭く言い返した。

「違うよ」

「何が違うんだい」

「僕が財布を盗られたことを黙ってたのは、警察に届けて犯人が捕まったりして、財布のなかに入っていた塚田さんの名刺のことがみんなにわかっちゃうのが怖かったからさ。特に、早苗おばさんに」

塚田さんは頭をなでられた猫のような声を出した。

「君は、僕のことを心配してくれたのか」

「早苗おばさんを悲しませたくなかっただけだよ。パパもママも、あんたはいい人で、早苗おばさんは幸せだって言ってる。僕だってそう思いたいし、ぶちこわしたくないもん。結婚したばっかりなのに、あんなほかの女の人があんた宛てに書いたメモなんて――」

「君があれを受け取ったのは、いつだ？　誰からもらった？」

雅樹くんはその事情を説明した。塚田さんはおおげさな溜め息をもらした。

「君も大人になればわかると思うけど、結婚というのは大事業でね。いろいろ大変なんだ」

机を回って雅樹くんのそばにきた。雅樹くんは身を引いた。

「僕は、早苗さんこそ僕の妻にふさわしい女性だと思っている。彼女にめぐりあえたことを感謝しているよ。でもね、そこまでたどりつくまで、ただ座って待っていたわけじゃない。ほかの女性たちともつきあった。それぐらい、もう君だってわかるだろう？　そして、そんな女性たちのなかに、僕と早苗さんの幸せに嫉妬している人がいるんだ。君にこれを渡したのも、そういう女性だよ」

　嘘をつくな！　僕は叫びたかった。「N」って誰だ？　約束とはなんだ？

「でも、大丈夫、信じてくれ。僕は彼女とはもう関係ない。愛しているのは早苗さん一人だけだ。もちろん、誰にも早苗さんに指一本触れさせない。誓うよ。約束する。だから、このことは忘れてくれないか。僕もこの名刺は燃やしてしまうから。いいね？」

　雅樹くんは返事の代わりにこっくりした。その意味するところが僕にはわかる。（一応わかったようなふりをしておくけど、本気じゃないよ）という意味だ。

　その証拠に、雅樹くんは部屋を出ると、しばらくのあいだそっと息をひそめて廊下にたたずんでいた。僕は彼の上着の胸ポケットのなかで、彼の心臓の鼓動を聞いていた。

と、塚田さんの部屋の中で電話が鳴り始めた。雅樹くんはさっと身をひるがえし、何かの陰に隠れた。

　塚田さんの部屋のドアが開き、ひと呼吸おいてバタンとしまった。きっと、廊下に誰もいないかどうか確かめたんだ。

　雅樹くんはそっと引き返す。ドアに耳をあてたのだろう。身体をドアにぴったりと寄せているので、彼の聞いているものを、僕も聞くことができた。

「いったい何を考えてるんだ。あのガキは、早苗の甥っ子なんだぞ。ペラペラしゃべられたらどうするつもりだったんだ！」

沈黙。電話の相手も負けずに言い返しているのだろう。

「N」だ。あの女だ。

「いいか、すべて順調に進んでるんだ。早苗は俺にベタ惚《ぼ》れだし、あいつの姉さんもその旦那も俺を気に入ってる。だから余計なことはするな。俺だって約束を忘れたわけじゃない――バカ言え、俺が本気で惚れてるわけがないだろう？　俺の女はおまえだけだよ」

僕はできるものなら震えたかった。雅樹くんはガタガタし始めていた。

「それで？　そっちはどうなんだ？　保険金さ。降りたのか？　そうか、よし、いいぞ――いや、こっちはまだまだだ。結婚してすぐじゃ、いくらなんでも危なすぎるからな。でも――」

それで充分だった。雅樹くんは表へ走りだした。

6

雅樹くんがすべてを打ち明けて、めでたしめでたし。

そういうセリフを聞きたいですか？　だとしたら、僕はあなたをがっかりさせることになる。

雅樹くんはすべてを打ち明けた。最初から最後まで。結婚式場の女のこと、塚田さんの名刺、その裏に書かれていた言葉。それを入れた財布、つまり僕を盗まれたこと。それが戻ってきた経緯。そして、塚田が「N」と電話で話していたこと。

でも、誰も信じてくれない。

もちろん、最初は、パパとママもびっくりした。話があんまり具体的なので、その時点では、

「作り話でこれだけのことを話せるもんじゃない」とまで言った。

でも、ダメなのだ。塚田和彦が出てくると、みんな言いくるめられてしまう。この腹黒い嘘つきは、呼吸するように自然に出まかせを言うのだ。

「ええ、雅樹くんは僕の店に遊びに来ましたよ。ゲーム・ソフトを手に入れたからって、見せにきてくれたんです。泥棒なんかにあったはずがありませんよ。どうしてそんなことを言うのかなあ」

そうなると、形勢はがぜん不利になってくる。

証拠がない。雅樹くんは話すことができるだけで、なにも証明することができないんだ。

だから――

「このごろ、雅樹、気持ちが不安定だったしねえ」

「テレビのサスペンスものに、保険金殺人の話がよくあるしな。そういえば、あいつが持っているゲーム・ソフトのなかにも、そういう殺人事件を刑事が解決する、というパターンのがあったぞ。少しファミコンもやめさせなきゃいかんな」

そして、結論は一つ。立ち直るまで、そっとしておいてあげましょうよ。

早苗さんが保険の契約をする日、雅樹くんは学校を休んだ。最後の手段だ。早苗さんに直《じか》に話そうというのだ。

でも、その試みは未然に防がれてしまった。早苗さんがやってくるちょっと前に、ママは雅樹くんを連れ出して、医者に連れて行ったのだ。歯医者さん。

「ホントなら、もっと前にきてなきゃいけなかったんだから。今日はちゃんと予約をとっておきましたからね」

歯医者さんから逃げだせる子供なんて、まず、いない。

僕は家に残されて、雅樹くんの部屋で、時々聞こえてくる女性たちの声に注意を集中していた。

「これで安心して旅行にいけるわ」と、早苗さん。

「でも気をつけなさいよ。外国は水が悪いから」と、ママが言う。

「保険はね、ちゃんと掛けている人には、それが必要になるようなことは起こらないものなんですよ」と、遠山さんが笑う。

その週の週末から、早苗さんは新婚旅行に旅立った。二週間後に帰ってくるまで、雅樹くんの夜に安眠はなかった。

(結婚してすぐじゃ、危なすぎるからな。でも――)

帰国した二人を出迎えたとき、雅樹くんがどんな目で塚田を見つめ、彼がどんなふうに見返してきたのか、僕にはわからない。

知るのも恐ろしい。


今の雅樹くんは、一つの信念に動かされている。やるんだ、きっと見つける。必ず見つけだせるぞ、という信念。

雅樹くんからゲーム・ソフトと僕を盗んだ連中を捜しだすのだ。あいつらだってまだ中学生なんだし、そんなに遠くから来ていたはずはない。ああいうことをするやつらだから、また同じことをやるかもしれない。きっといつかは網にかかるはずだ。

あいつらを見つけることさえできれば、それが証拠になる。あの「N」の署名のあった名刺の。そうすれば、雅樹くんがまったくのでっちあげをしゃべっていると思い込んでいる大人たちも、少しは考え直してくれるだろう。

今思えば、雅樹くんの勘は正しかったんだ。塚田は恐ろしい人間だった。

子供の目は鋭いから、皮膚の下の頭蓋骨《ずがいこつ》まで見通すことができる。とりわけ、それが真っ黒なものであるならば。

ああ、だけど、悔しいけれど、僕は雅樹くんのポケットのなかで祈ることしかできない。

頑張れ、雅樹くん。頑張ってくれ、間に合うように。

早苗さんが殺されてしまわないように……。

探偵の財布

1

「素行調査を？」と、私の探偵は訊いた。

「お願いしたいんです」と、私の探偵の依頼人は答えた。

私には、馴染《なじ》みのやりとりだ。

この依頼人は、女性だった。声の感じから推して、年齢はまだ二十代だろう。もしも彼女が美人なら、彼女がこの部屋のなかにいるあいだだけは、私の探偵の事務所にも、美しいものがひとつだけは存在しているということになる。

私の探偵は、今日は少し、声が嗄《か》れている。昨夜は遅くまで事務所に残り、なにか調べものをしていたようだった。疲れているのかもしれない。

「私のことは、どうやって知りました？　誰かの紹介ですか？」

依頼人は、すぐには答えなかった。嘘をつこうとしているのか、本当のことを言うと誰かに迷惑がかかるかな、と考えているのか、それとも——

「飛び込みです」と、依頼人は答えた。「表で看板を見て、急に思い立って来てみたんです」

私の探偵は小さく咳払《せきばら》いをした。

「勇敢ですね」

依頼人は、黙っている。

「それとも、衝動的なのかな」

私の探偵は、そう言うと、立ち上がったらしい。古い回転椅子が、ぎしりときしむ音がした。半年ほど前、ある破産会社の債権回収の仕事を請け負ったとき、揃《そろ》いの机と一緒に、破産管財人から無料《ただ》同然の値段で買ってきたものである。もともとは、その破産会社の経営者が使っていたものだそうだから、縁起のいい代物ではない。

しかし、私の探偵は縁起をかつがない。探偵はそんなことはしないものだ。縁起かつぎや占いや宗教では解決できない問題を抱えた依頼人たちを相手にするのだから。

「お帰りなさい」と、私の探偵は言った。「出口はわかるでしょう?」

「でも——」

「帰りなさい」

しかし、依頼人には立ち上がる様子はなかった。

「引き受けていただけないんですか？」

小さな声だ。彼女の声は、さっきからずっと小さく、時には聞き取りにくいほどだった。自分の話していることの内容を、恥じているからであるかもしれない。

「それならなぜ、わたしの話を聞いたんですか？」

私の探偵は苦笑した。

「しかし、私はあなたの名前は訊かなかった」

それが、私の探偵の流儀なのである。最初に名前を言ってから用件を話す依頼人は信用する。相談の内容を話してしまっても、契約するまで名前を言わない依頼人は相手にしない。

といっても、このごろ——過去二年のあいだは、どちらの種類の依頼人も断わってしまうことが多かったのだが。

私の探偵は言った。

「あなたの依頼の内容自体は、ありふれたものだ。そっちの壁ぎわにキャビネットがあるでしょう？　私自身、数えてみたことはないが、賭けてもいい、あのなかに入っている事件記録の半数は、あなたの依頼の件と同じ内容のものです」

私の探偵は狭い事務所を横切り、窓を開けたようだった。三階下の街路のざわめきが、部屋のなかに流れこんできた。

「あなたがこの事務所を出ていったと同時に、私はあなたのことなど忘れてしまいます。あなたの顔も、声も、着ていた服のことも。あなたの話の内容も。ですから、安心してお帰りなさい」

依頼人は、まだ動かない。

「ただ、ご主人に対する疑いを、言葉にして、私という探偵に話して聞かせたことについて、あなたが感じる後ろめたさだけは、あなた自身で引き受けてもらわねばならない」

依頼人は立ち上がったらしい。来客用のソファのスプリングが鳴った。

「意地悪なことをおっしゃるんですね」

「探偵はみんな意地悪なものですよ」

「嘘でもいいから、話しただけで気が済んだでしょうとか、そういう悩みを抱《かか》えている奥さんは多いけれど、たいていは本人の誤解や思い込みで、調べてみる必要なんかありませんよとか、そんなふうに言ってくださってもいいじゃありませんか。どうせ断わるのなら」

「私はあなたのお守《も》りしているわけではない。あなたの友人でもない」

依頼人は、足音を立てて歩いていった。扉を開ける音が聞こえる。この事務所のドアは、開閉するたびに、金具がこすれあうような音をたてる。

依頼人の足音が止まり、声が聞こえた。

「どうして引き受けてくれないんです？」

私の探偵は答えた。

「通りすがりに探偵事務所の看板を見たというだけでご主人の素行調査を思いつくような女性は、信用できないからです」

依頼人はまたドアを鳴らした。出ていく様子ではないから、ぐっとドアにもたれて踏みとどまったのかもしれない。

「一日考えて、わたしの気が変わらなかったら？　それなら引き受けてくださいます？」

私の探偵は黙っている。が、依頼人は「じゃ、電話します」と言った。つまり、私の探偵はうなずいたのだろう。

「電話ではいけません」

「なぜ？」

「易《やさ》しいからです。もう一度ここへやって来るだけの気力を出すことを惜しんで、宅配ピザでも頼むように電話一本で済ますつもりでいるなら、三日とたたないうちに、私を雇ったことを後悔しますよ」

依頼人は、かすかに震える声で言った。

「なんて意地悪なの」

そして、彼女は出ていった。

一人になっても、私の探偵は、しばらくのあいだ椅子に戻ってこなかった。ややあって、重い足音をたてて近付いてくると、私を入れてある引き出しを開けた。

私の探偵は、そのまましばらく動かなかった。やがて、私を取り出すと、小銭をいくつかとって、私をもとの場所に戻し、引き出しを閉めた。

私は引き出しのなかの闇に包まれ、私の探偵がいつも私と一緒に入れておく大振りのペーパーナイフと、古い手帳と並んで、部屋を出てゆく私の探偵の足音を聞いていた。

おそらく、私が私の探偵のそばにやってきて以来、正確には二度目の禁煙の誓いを破るために、階下の自動販売機へと足を向けたのだろう。私の探偵は、心を騒がせるような出来事にぶつかると、煙草を求めるのである。

最初の禁煙の誓いが破られたのは、私の探偵が妻を亡くしたときだった。今度は何があったのだろうと、私は考えた。

私は、私の探偵の財布である。

私は、私の探偵の正確な年齢を知らない。

声を聞き、顔を見ているぶんには、おそらく四十の坂にさしかかったばかりの男であることは、見当がつく。これまでの二十代、三十代の坂を、相当苦労しながら昇ってきた男であろうことも。

いつも病み上がりのように見え、いつもかすかに口の端を下げている。その必要のあるときでさえ、ネクタイは緩めにしか締めたことがない。

私を買い求め、彼のそばに持ってきたのは、彼の妻だった。彼女は私を買って間もなく、不慮の事故で逝《い》った。そのときから、私の探偵はずっと独りで暮らし、独りで事務所を開いている。

そばに誰もいない人間は、歳《とし》をとりはするものの、歳を数えることはしない。誕生日を覚えていてくれる者がいないからだ。人は誰も、自分のために歳をとったりしない。だから、私の探偵は歳を忘れ、私には彼の年齢を知る機会がない。

私の探偵が数えているのは、死んでからの年数である。妻が死んだとき、彼も死んだ。彼はもう二年も死んでいる。これからも死に続けるつもりでいる。私は死人《しびと》の金を抱く財布なのだ。生き生きとした散財というものは、私には無縁だった。

彼がいつから探偵になったのかも、私は知らない。私は彼の過去を知らない。それもまた、彼の妻と一緒に死んでしまったのかもしれない。

子供はいなかった。ほかに、親兄弟らしい者に会ったこともない。私の探偵は、独りきりで棺《かん》に入った彼の妻と同じように、孤独に生きている。

私の探偵——と、私は彼を呼ぶ。彼は私を単なる彼の所有物だと思っているようだが、本当は、彼が私のものなのだ。

妻が亡くなったとき、彼は彼女の思い出につながるものをすべて処分してしまったが、私を捨てようとはしなかった。私は唯一、生前の彼女の指が触れたことのある、彼女の遺品だった。

それを、私は女々《めめ》しいとは思わない。彼を、彼の妻が昔そう呼んでいたように呼ぶだけだ。私の探偵さん、と。

2

夕方になって、来客があった。

私の探偵の、数少ない友の一人である。私の探偵は、彼を「佐々木《ささき》」と呼んでいる。佐々木は私の探偵を、「河野《こうの》」と呼ぶ。

二人がどの程度親しいのか、私には計ることができない。時折り、一緒に飲む。話もする。佐々木の方がしゃべっていることが多い。彼の職業は新聞記者である。常に情報を出し入れすることが仕事なので、寡黙《かもく》な男では務まらないのだろう。

佐々木は、私の探偵の妻が亡くなったとき、彼が「一人にしてくれ」と言うまでそばを離れなかった。「一人で大丈夫だ」と言っているうちは、離れなかった。だから、私は佐々木を信用することにしている。

「すいてるな」

ドアを開けて入ってくると、佐々木は言った。

「これでよく事務所を張っていられる」

「張ってはいない。支えてるんだ」

「かろうじてな」

「大新聞のようにはいかない」

佐々木は来客用のソファに腰を据えた。

「例の話、考えてみたか？」

私の探偵は返事をしない。

「悪い話じゃないと思う。先方も乗り気だ。腕のいい調査員を欲しがってる」

ギイと椅子を鳴らしてから、私の探偵は答えた。「今さら人に使われるくらいなら、独立なんかしなかったよ」

ちょっと間をおいてから、佐々木は言った。「あの当時と今とじゃ、事情が違う」

「世間の景気は、今の方がいい。景気のいいときは、こういう仕事は繁盛するんだ」

「それぐらい、俺だってわかる」と、佐々木は笑った。「だが、肝腎《かんじん》のおまえ自身が変わっちまったじゃないか。あのころは、薙子《なぎこ》さんがいた。今はいない」

薙子とは、私の探偵の妻の名前である。

また、椅子が鳴った。

「おい、そろそろ立ち直れ」と、佐々木が言う。「彼女が亡くなったのは、おまえのせいじゃない」

「わかってるさ」

「わかってない。口ばっかりだ。おまえはまるでゾンビだ。だが、近ごろじゃ、ゾンビはお笑いのタネにしかならないぞ」

そう言って、佐々木は黙り込んだ。

彼は、半月ほど前に、私の探偵に、就職の話を持ってきたのだった。かなり大手の保険調査事務所が、人手を欲しがっている――という。私には断定はできないが、佐々木の話を聞いたかぎりでは、私の探偵は昔、そこと同じような事務所で働いており、時機をみて独立し、この事務所を開いたものであるらしかった。

「おい」と、佐々木が言った。

「なんだ」

「忘れ物だ」

立ち上がってこちらへやってくる足音がする。

「ソファの脚のところに落ちていた。イヤリングだな」

佐々木の声が、ほんの少しやわらいだ。

「女か？」

私の探偵は素っ気なく答えた。「依頼人だ」

「ソファのそばにイヤリングを落としていく依頼人か」

「そうだよ。興奮していたから、落としたことに気がつかなかったんだろう」

「興奮してた」

「怒っていたんだ。依頼を断わったからな」

「またか」と、佐々木は太い息を吐いた。「おまえ、仕事をする気がないんだな」

佐々木がソファの方へ戻ってゆくのだろう。足音がする。

「そう断わってばかりじゃ、今にどうにもならなくなるぞ。だから、勤めろと言ってるんだ。給料取りになれば、嫌でも働く」

「おまえのように？」

「なんとでも言えよ」と、佐々木は笑う。「なんで断わったんだ？　女の持ち込んでくる事件なら、そう面倒なものじゃないだろうに」

かなり長い間、私の探偵は口をつぐんでいた。佐々木はこんなことに慣れているのだろう。返事がくるのを待っている。

「薙子に似ていた」と、私の探偵は答えた。

佐々木の溜め息が聞こえた。

「驚いた。よく似てるんで。もちろん、若いころの薙子に、だが」

少し口調を変えて、佐々木は言った。「彼女、イヤリングを取りにくるかな？　それ、安物じゃないぞ」

「来ないな。あの様子じゃや。着ているものにも金がかかっていたし、それをうまく着こなしていた。いっちょうらを引っ張りだして着てきたんじゃない。金持ちだ。このイヤリングと同じようなやつを、あと一ダースは持ってるだろう」

「イヤリングを両方失くしたなら、あきらめる。片方だけなら、探し回る。それが女だ」

そう言って、佐々木は立ち上がった。

「飲みにいこう。いい店を見つけたんだ」

そして、「それ、しまっておけよ。彼女は取りにくる」

私の探偵は笑った。「賭けてもいい。くるものか」

だが、彼女はやってきた。

3

翌日の午後のことである。

ノックの音が聞こえ、私の探偵が「どうぞ」と言うと、ドアがきしんだ。そして、彼女の声が聞こえてきた。

「引き受けていただけますか？」

私の探偵は、しばらく椅子から動かなかった。彼女を見つめているのだろう。私は、引き出しの暗闇のなかで、亡くなった薙子の顔を思い浮かべ、若いころの彼女によく似た女性が、私の探偵に負けまいと、顎《あご》を引き、くちびるを結んで立っている様子を思い浮かべようとした。

私の探偵は、少し椅子をきしませた。それから咳をした。

「風邪ですね」と、彼女は言った。「昨日も声が嗄れていましたもの」

「季節はずれだと思うが」

「いいえ。今、流行《はや》ってるんです。悪性の、喉からくる風邪が。放っておくと高い熱が出ますよ。甥の通っている学校でも、それで学級閉鎖になったクラスがあるくらいです」

少し間をおいて、彼女は続けた。「入ってもいいですか？」

私の探偵は、あきらめたように息をひとつ吐いてから、言った。

「どうぞ。ただし――」

「ただし？」

「風邪が伝染《うつ》るかもしれませんよ」

依頼人の名前は、塚田早苗といった。二十七歳。夫の塚田和彦は三十六歳で、レストランの経営者であるという。

二人は、結婚してまだ二カ月しかたっていなかった。都心に近い住宅地のマンションに住んでいるという。

「ご主人の様子がおかしいと思い始めたのは、いつごろからのことです?」

私の探偵は、早苗の向かいに腰をおろしているのだろう。声が少し——狭い事務所だから、ほんの少しだが——遠くなった。

「おかしいって言っても……」

「じゃ、言い換えましょう。ほかに女がいるんじゃないかと思ったのはいつからです?」

早苗は力なく笑った。「意地悪な言い方だわ」

「昨日は、あなたご自身がこういう言い方をされたんですよ」

溜め息の気配。「わかりました。いいです。ほかに女がいると気がついたのは、結婚式の三日後でした」

私の探偵は黙った。

「びっくりされないんですか?」

早苗は不満そうだった。私の探偵が黙っているのは、別段驚いて言葉を失くしたからではなく、なにか書き留めてでもいるからだったのだろう。

「三日後ならましな方です。私の扱った依頼のなかでは、結婚披露宴をやっているあいだじゅう、同じホテルの客室に愛人を待たせていた、というケースもありましたよ。それで？　気がついたというのは、具体的な証拠をつかんだんですか？」

　早苗の声が小さくなった。

「電話をかけていました――女に」

「結婚式の三日後に」

「はい。六月の――二十七日です」

「自宅で？」

「いえ。彼の経営しているレストランの、オフィスからでした」

　そのレストランの名は「ジュヌビエーブ」。麻布《あざぶ》にある。その日、早苗は友人と会う約束があり、南青山《みなみあおやま》まで出てきたので、夫の仕事場に顔を出して、びっくりさせようと思ったのだという。

「子供みたいですけど――足音をたてないように気をつけて、オフィスのドアの前まで行きました。そしたら、彼の声が聞こえてきて……。電話だな、と思ったので、済むまで廊下で待っていようと思ったんです」

「で、話の内容を聞いた？」

「ええ」

私の探偵は、また咳をした。

「オフィスは彼専用の？」

「そうです」

「一人で経営してるんですか？」

「いいえ。共同経営です。畠中さんという方と二人で。――いえ、共同経営だと聞かされていました」

「どういうことです」

「実際には、夫は全然資金を出していないんです。そういう意味では、『ジュヌビエーブ』は、畠中さん一人のものでした。夫はただ、『共同経営だ』と言ってるだけです」

「なぜそれを知りました？」

「土地と建物の登記簿を見たんです。両方とも畠中さんだけの名義でした。それを担保にしてお金を借りているので、ずらりと抵当権者の名前も並んでましたけど、それは全部金融機関ばかりです。主人の名前はありませんでした」

「『ジュヌビエーブ』は会社組織をとってますか？」

「ええ」

「ご主人は取締役？」

「そうです」

「あなたは？」

「いえ、わたしは関係ありません」

　私の探偵は、少し考えるように間をおいてから、言った。

「土地と建物の名義だけじゃ、なんとも言えませんよ。違う形で資金を出したのかもしれない。あるいは、極端な話、能力だけで貢献してきたのかもしれない。畠中氏のブレーンとしてね」

「それはわかってます」

早苗はそう言い、まだなにか言いたそうな気配をさせている。私の探偵も、彼女が続けるのを待っているようだった。

「でも、わたしには、畠中さんが主人を信頼しているようには思えないんです」

私の探偵は咳をした。これは空咳だった。

「話を戻しましょう。ご主人の電話の件です。どんなことを言ってました？」

早苗は言いにくそうだった。

「愛しているのはおまえだけだよ、わかってるだろ？　と」

「それから？」

「時間をつくって会いにいくから、とも」

「それで？」

こういう話は、注文をとるウエイトレスのように事務的に訊いた方がいいのだ。

「早苗は気づいていない、だが、用心するにこしたことはない――と言いました」

「それだけ？」

「電話を切るとき、また、愛してるよと言いました」

ややあって、私の探偵は少しばかり軽い口調で言った。

「しかし、相手が女性であるという証拠はないですね」

早苗も、その質問の言外の意味は理解したようだった。

「主人は正常です。夫婦生活はちゃんとありますから。それに――」

「それに？」

「電話を切るとき、正確にはこう言ったんです。『愛してるよ、ノリコ』と」

私の探偵の声が鋭くなった。

「『ノリコ』という名前に心当たりは？」

「ありません」

「一人も？　比較的よくある名前ですよ」

「一人だけ、私の友達にいますけど、先月結婚したばかりです。お店のウエイトレスや、主人の友達関係でも、わたしが知ることのできる範囲内には、『ノリコ』という女性は見当たりません」

早苗は、そのほかにも、いくつか補足説明をした。頻繁に、自宅に無言電話がかかってくること。塚田和彦が、一週間に一度ぐらい、帰宅が遅くなること。彼女の使っている色合いとは違う口紅が、和彦のワイシャツの襟元についていたことがあること――

「つい最近は、はっきり女性の声で、『和彦さんいますか？』という電話がありました」

早苗の声に、疲労の色が混じり始めた。

「昼間ですから、彼は店の方にいます、そう答えると、その女性は、『そう。で、あなたが早苗ね？』と言いました」

「それで？」

「わたしが相手の名前を尋ねると、『今にわかるわ』と言って、切れてしまいました」

私の探偵は、強い口調になった。「たしかに、『あなたが早苗ね？』と言ったんですね？『早苗さん』とか『奥さん』じゃなくて」

「間違いありません。呼び捨てでした。それが一昨日のことなんです。だからわたし、ここへ飛び込んで――」

早苗は黙ってしまった。ややあって、小さく言った。

「本当は、実家に帰ろうかと思って外に出たんです。でも……心配をかけるのが嫌で。駅の名前も見ないで降りて、ぐるぐる歩いて、気がついたらこのビルの前に立ってました。それで、看板を見付けて……。偶然ですけど、ここで探偵事務所の看板を見たことに、意味があるような気がして」

　私の探偵の声が、これまででいちばん柔らかな響きを帯びた。ほとんど、優しいと言っていいほどに。

「これまでのことを、どなたかに話しましたか？　家族や、友達に」

　早苗は首を横に振ったらしい。私の探偵は「誰にも？」と訊いた。

「ええ、誰にも言ってません」

「よく一人で抱え込んでいられましたね」

　早苗は、意外なことを言った。「怖かったんです」

　かなり長いあいだ、事務所のなかは静まり返っていた。時折り、エアコンが息切れしながら冷気を吐き出す音がしているだけだ。

「怖かったんです」と、早苗は繰り返す。「主人が怖いんです」

　語尾がちょっと震えた。

「最初のうちは、こんなこと信じたくないと思って、努めて忘れようとしてました。あんなにはっきりと、彼が電話で話していたことを聞いたのに、馬鹿みたいですけど、信じたくなかったんです」

　私の探偵は静かに言った。「馬鹿みたいだとは思いませんね」

「だけど……それじゃ済まなくなって……」

「きっかけはなんです？」

早苗は声を励まして続けた。「新婚旅行です。先月の初めに、十日間、サイパンへ行きました。結婚してすぐには、彼が休暇をとることができないって言うので、少し遅くなったんです」

「それ自体はよくあることですよ」

「サイパンで、わたしたち、一緒にスキューバ・ダイビングをしました。彼、相当のベテランで、指導員の真似もできます。でも、わたしはまだ始めたばかりで、耳抜きが下手で——耳抜きって、わかります？」

「自分でやったことはないが、知識としては。水圧で鼓膜がへこむのを防ぐんでしょう？口を閉じて、息を吐いて」

「ええ、そうです。そうしないと、耳に水が入って、方向感覚が狂うことがあるんです。自分では浮かび上がっているつもりなのに、実際にはどんどん深い方へ潜っていってたり——」

耳抜きが下手だという早苗は、サイパンの海で潜っているときに、実際にその状態に陥ったのだという。

「わたし、パニックを起こしていました。頭がふらふらして、どうしていいか、身体のコントロールがきかないんです。それで、すぐそばに潜っていた彼に、手で合図して、助けてほしいと報らせました。何度も、何度も。でも――」

今度は、私の探偵は早苗を促さなかった。私にも、彼女の不規則な息遣いを聞くことができた。思い出し、語ることが、パニックを再現しているのだ。

「彼、わたしを見ているのに、手を貸してくれなかった。助けようとしてくれなかったんです。じっと見ているだけ。じっと、観察するみたいに」

結局、近くにいた別のダイバーが早苗を助け、船までリードしてくれたという。そして、あとから上がってきた和彦は、彼女がそんな状態にあったとはまったく気づかなかったと言った――。

「ごめん、ごめんと、何度も謝って、わたしを抱きかかえて、撫《な》でたりさすったりしました。でも、わたしは彼の言葉を信じられなかった。海のなかで、わたしが死にそうになっているのを見つめていた彼の姿が忘れられないんです」

早苗は身震いしているに違いない。

「思い過ごしだって、何度も思おうとしてきました。でも、駄目なんです」

大きく息を吐いてから、私の探偵は訊いた。

「サイパンで、ご主人はあなたを殺そうとした――わざと見殺しにしようとした――そう思ってるんですね？」

心のうちの不安を、他人の声で、はっきりと言葉にして問いかけられ、早苗は泣き始めているようだった。

「ええ、そうです。それに、そのときだけじゃありません。あれ以来ずっと――ずっと、わたし、見張られてるような気がする。機会を待たれているような気がするんです。振り向くと、彼がわたしを怖い顔で見つめていて、わたしと目があうと、あわてて笑ったりするんです」

あえぐように息を吸いこんで、

「あれからも、何度か『潜りにいこう』って、誘われました。結婚前には、二人でよくあちこち行ってたんです。でも、今はもうとてもそんな気にはなれません」

「しかし、サイパンでのこと以外には、具体的に危険な目にはあってないんでしょう？ダイビング以外の、日常生活でも」

早苗はおののくような溜め息をもらした。

「ええ。今はまだ。だけど、ずっとびくびくし続けてきました。一昨日の、女からの電話で、わたし、もう糸が切れたみたいになってしまって」

私の探偵は黙っている。ことは素行調査のような単純なものではなくなりそうだった。

「いいですか、話を整理しましょう」と、私の探偵は言った。「あなたは、ご主人に愛人がいるのではないかと疑っている。そうですね？」

「ええ、そうです」

「そして、彼が、あなたを見殺しにしようとしたことがあると、思っている」

「見殺しにされたんです。ほかのダイバーがいなかったら、わたしは死んでたわ」

私の探偵は、早苗の興奮した口調に動じなかった。

「このふたつをつなげて、あなたは考えている。夫にはほかに女がいる。で、あなたが邪魔なので、あなたを殺そうとしている。そうですか？」

早苗はきっぱり答えた。「間違いありません」

「じゃ、彼はなぜ結婚したんでしょうね、あなたと。まだ新婚二カ月じゃないですか」

小さくしゃくりあげてから、早苗は言った。

「わたし、結婚してすぐに、生命保険に入りました」

沈黙。

「病死なら五千万円。事故死だと倍額保障の一億円。受取人は、夫です」

私の探偵は慎重だった。「彼が、あなたに、保険に入れと言ったんですか？」

涙に曇った声で、早苗は答えた。「違います」

「では、あなたが自発的に入った？」

早苗はしゃくりあげているだけで、答えない。私の探偵は少し声を大きくした。

「あなたが進んで入ったんですか？」

「そうです！」

爆発的な、大きな声だった。早苗は明らかに取り乱していた。言葉が洪水のようにあふれ出てきた。

「彼にそんなふうに仕向けられたんです！　なにもかもそう！　全部そうだわ。誰でも、どんな人でも、彼に丸め込まれてしまうんです！　わたしの身内だって、みんな騙《だま》されてる！　わたしが何を言ったって、きっと信じてくれません。夫が実《まこと》しやかに『早苗は疲れてるんだ』なんて言って、みんなそれで納得して、誰もわたしの言葉になんか耳を貸してくれやしない！」

最後の方は、ほとんど叫び声に近かった。

早苗は本格的に泣きだし、彼女の苦しそうな声だけが、事務所のなかに満ちた。私の探偵は、声も出さず、身動きする気配もしない。

早苗が落ち着きを取り戻し、とりあえず静かになると、私の探偵はゆっくりと言った。

「誰にも相談したことがないというのは、嘘ですね？」

たぶん、早苗はうなずいているのだろう。

「誰も信じてくれないから、探偵なんかを雇おうとしたわけだ」

早苗は鼻がつまったような声で言った。

「探偵さんなら、わたしの話を聞いたあとで、病院へ行きなさい、ストレスでノイローゼ気味なんだよ、なんて言わないと思ったから」

「言いませんよ。ちゃんと調べて、あなたの疑いに根拠がないとわかるまではね」

早苗は、かすかに「ありがとう」と言った。そして、哀願するような声で、わたしが長く忘れることのできなくなる声で、こう付け加えた。

「彼にわたしを殺させないで。どうぞ、お願いです……」

4

私の探偵は、一週間、塚田和彦をぴったりとマークした。

当然のことながら、私は私の探偵と行動を共にした。したが、彼が何を見、どういう報告を書いているのかは、私にはわからない。尾行は無言の行であるから。聞こえるのは街の音、そして、車のエンジンのうなりだけである。

それ以外に私の探偵がしたことは、佐々木に、つてをたどって、塚田和彦の前科を洗ってくれるように頼んだことだけだった。

「まあ、それはお安い御用だがな」と、佐々木は言った。「就職の件はどうする?」

「願い下げだ」と、私の探偵は答えた。あいまいに言葉を濁すのではなく、きっぱりと。

だが、佐々木は喜んでいるように、私には見えた。

「どうした? 少しばかり生き返ったような感じだな。膝から下ぐらいまで、血の巡りが戻ったか？」

私の探偵は笑った。「さあな。わからんよ。俺にもわからん。被害妄想の依頼人に振り回されてるだけの話かもしれないんだ」

「だが、そうじゃない可能性もある？」

「半々だな」

だが、深夜など、事務所で一人になったときの私の探偵の様子から察すると、「半々だ」と考えているとは思えない。

部屋中を行ったりきたりして、歩き回っている。ときどき紙をめくる音も聞こえてくる。これほどピリピリしている彼を見るのは、久しぶりのことだ。

明日は早苗に第一回目の報告を渡す、という夜に、私の探偵は佐々木と会った。

「塚田和彦。前科はないな」と、佐々木は言った。「ただ、三年前に一度、運転免許停止処分を受けている。飲酒運転で、スピード違反だ」

私の探偵は、記録のようなものでも読んでいるのだろう。パラパラ、というような音が聞こえる。

「塚田と早苗が結婚する前に、早苗の姉夫婦が、おもに『ジュヌビエーブ』の経営状態と塚田個人の経済状態について、調査事務所に頼んで調べてるんだがね」

「何か出たのか」

「いや、そこには何も不審な点はないんだ。その調査報告書には、早苗も目を通している。俺も見せてもらったんだが……」

それによると、早苗が言っていたとおり、塚田和彦は、「ジュヌビエーブ」に一切金を出していない。彼は文字どおり頭で参加しているだけであるという。

「そもそも、畠中は、塚田が昔勤めていたイベント会社の顧客だったんだよ。これがまた怪しげな会社だったようなんだが、それはともかくとして、その会社にいるあいだに、塚田は、畠中をうまく丸めこんで共同経営者におさまったということなんだな」

「嫌な野郎だ」と、佐々木が顔をしかめた。「口がうまいんだろうな」

「頭はいいんだ。確かにな。今現在も、塚田はがっちりと畠中を捕まえている。実際、塚田がジュヌビエーブの経営に関わるようになってから、店のイメージが垢抜けたということはあるようだよ。売り上げもあがっているし」

私の探偵は、ちょっと苦笑した。

「ただ、塚田は、この程度の店の経営者として一生を終わるつもりはないらしい。もっと手を広げてでかいことをやりたいんだろう。ジュヌビエーブの従業員たちには、始終そういう大風呂敷を広げて話して聞かせているようだ」

佐々木の目つきが鋭くなった。「それにはまとまった資金が要《い》るな」

そのために、妻を殺して保険金を——ということは考えられる。だが、私の探偵はそれには答えず、また何かをパラパラめくる音をさせてから、こう言った。

「俺も、早苗夫人の許可をもらって、塚田の家族関係なんかを調べ直してみたんだがね」

「それで？」

「転籍したりして、わかりにくくしてあるんだが、奴は初婚じゃなかった」

「なんだって？」

私の探偵は、顔を上げ、ゆっくりと言った。「奴は過去に一度結婚して、一年足らずで離婚してるんだ」

「早苗夫人はそれを――」

「知らない」

「しかし、調査の過程でその事実があがってこなかったというわけじゃあるまい？」

「俺が調べたらすぐわかったことだ。前の調査員だってそうだったろうさ」

「じゃ……」佐々木の声が険しくなった。「もみ消しか？」

「たぶんな」と、私の探偵は言った。「塚田に丸め込まれたんだろう」

「離婚歴あり、か。非常に初歩的な欺瞞《ぎまん》だが……」佐々木はピイと口笛を鳴らした。「早苗夫人の予感が当たってるような気がしてきた」

「こればかりはなんとも言えないよ」

「で？　尾行の方は？」

「何も出ないな。まだ一週間だ。今のところ、和彦は伝書鳩《でんしょばと》だよ。品行方正だ。女にも電話をかけてない」

「やっぱり、浮気なんて、早苗の妄想じゃないのか？」

「わからん」私の探偵は溜め息をもらした。

「わからん。ただ、塚田の態度を見ていると、どうもこっちが探っていることを気づいてるような感じがするんだ。時々、道を歩いていて出し抜けに振り向いたりしてな」

「おまえ、それほど尾行が下手だったかな」

「いや、早苗が、調査を頼んだことを、彼に悟られたのかもしれない」

佐々木は、はは
あ、と言った。

「となると、塚田としては自重するはずだ。手っ取りばやく盗聴をかけてみようかと思ったんだが、向こうが用心しているとなると、意味がない。ほとぼりが冷めるまで、少し放っておくよ。それより、塚田の前妻から話を聞きたい」

「早苗夫人は大丈夫か？　万が一、全部が彼女の妄想でなかった場合には、たいへんなことになりかねない」

私の探偵はぼそりと言った。「そうだな……」

「ご主人に悟られていませんか？」

早苗がやってきたとき、私の探偵は、まずそう尋ねた。

「あなたを雇ったことを？」

「ええ」

彼女は、答える前に、二度ほど「あのう……」と言った。

「わたしたちのことで、ちょっと人に相談した、とは言いました」

彼女にしては、妙に歯切れの悪い言い方だった。

私の探偵は、落胆したとしても、それを口に出しては言わなかった。

「で、ご主人は？」

「誰に相談したのかを知りたがりましたけど、教えませんでした。『君はこのごろ疲れ気味で、ちょっとイライラしてるようだったから、人と話すことで気が楽になるかもしれないけどね』なんて言って、それからは、目に見えて優しくなりました」

早苗の口調が、やや辛辣《しんらつ》になった。

「特に、そばにわたしたち以外の第三者がいるときなんか、とっても優しいわ」

私の探偵は、この一週間の「成果」を話し、和彦の過去に離婚歴があることを説明した。

早苗はショックを受けたようだったが、取り乱しはしなかった。

「言っておきますが、これはご主人の浮気の証拠ではありませんからね。彼があなたに、このことに関して嘘をついていた、というだけのことです。そして、嘘をついたのは、本当のことを告げたらあなたに去られてしまうと思ったからかもしれないんです。あなたを失いたくないから嘘をついたというだけのことかもしれない。いいですね？」

「わかっています」と、早苗は答えた。「これからどうなさいます？」

「彼の前妻に会ってみるつもりです。ただ、この除籍謄本に書いてある、彼女の結婚前の本籍地を見ると、北海道ですからね。そこから逆戻りして現住所を探しだすのは、ちょっと骨が折れるかもしれない」

椅子をきしませて、身体を乗り出したようだ。

「今のところ、ご主人は自重しているようです。少なくとも、女性と会おうとはしていない。たぶん、あなたが『人に相談した』と言ったからでしょうが」

「ええ、わかります」

私の探偵は慎重に言葉を選んだ。「あなたがおっしゃるように、彼があなたの命を狙っているという可能性も捨てきれませんから、身辺には注意してください。少し実家へ帰られたらいかがです？　里帰りだと言えば、ヘンじゃないでしょう」

「そうします。実は、先週の週末も、一晩泊めてもらってたんです。実家といっても、両親はもう亡くなってますから、姉夫婦の家なんですけど」

そこで、早苗は思い出したように「実は――」と言った。

「甥が――姉の子が――やっぱりわたしと同じように感じているらしいんです」

「塚田さんを危険だと？」

「ええ。はっきりそれと訊いてみたことはないんですけど、わたしが泊まりにゆくと、なんだかとてもホッとしたような顔をするんです。そして、帰るときには、まるで二度と会えないかもしれないみたいな辛そうな目でわたしを見ます。時々、とってつけたみたいに、『早苗おばさん、道を渡るときは車に気をつけてね』なんて言ったりするし……」

「甥ごさんはいくつです？」

「十二歳です。小学校の六年生」

私の探偵は考えこんでいるようだ。それを察したのか、早苗は言葉を足した。

「あの子にわたしの妄想が伝染《うつ》ってるのかもしれないけど」

私の探偵は苦笑した。「そこまでわかっているなら、何も言いませんよ」

そして笑いをひっこめると、「これから一週間ばかりのあいだ、こちらから緊急に連絡をとりたい場合は、どこへ電話すればいいでしょう？」

「実家に。相馬《そうま》歯科、と名乗っていただけません？　かかり付けのところなんです。予約受付をしている事務員さんが男の人で、以前にも電話をもらったことがあります」と言って、早苗は番号を教えた。

「まあ、あまり考えすぎないで、気楽になさっていることです」

私の探偵がそう言うと、早苗は小さくつぶやいた。

「姉も同じことを言いました」

「あなたが逆の立場でも、そう言うだろうとは思いませんか？」

早苗はやっと、少しだけ笑った。「そうですね。まだ、何も具体的な証拠が見つかったわけじゃないもの。主人が女と電話で話していたことも、スキューバでのことも、わたしの思い過ごしや幻覚かもしれませんものね」

「そう。その可能性も捨て切れません」と、私の探偵は言った。「ただし、幻覚や妄想じゃないという可能性もある。だから、なるべく一人きりにはならないことです」

早苗が帰るときになって、私の探偵は、「そうだ、忘れてました」と言った。

「最初にここへ来たとき、イヤリングを落としていかれましたよ」

たしかに、それは早苗のものだった。だが、彼女は受け取らなかった。

「それ、あずかっておいていただけませんか」

「なぜです？」

「意味はないんです。ただの――縁起かつぎ。すべてきちんと片がついて、わたしに心の平和が戻ったら、そしたら返してください。笑いながらそのイヤリングを返してもらえるような結末を、わたし、待ってますから」

寂しそうに笑って――「たとえ、そのイヤリングをはめて精神科のお医者さまのところへ通う、という結末でもいいから」

私の探偵は、承知した。

「わたしの母がね」と、早苗は独り言のように言い始めた。「結婚の十周年記念に、父にイヤリングを買ってもらったことがあったんです。これよりも、もっとずっと安物ですけど、一応本物のダイヤが入ってました。初めてそれをつけて外出するとき、母は、一緒に行く姉とわたしに、イヤリングが落ちて失くならないように、見張っていてねと頼んできました。わたしは四歳。姉が九歳でした」

私の探偵は黙っている。

「姉はわたしに言いました。『早苗、あんたは下を見ていなさい。おねえちゃんは上を見てるから』。わたしたち姉妹、母のイヤリングの見張りをして、外出の間中、馬鹿みたいにそうやってくっついて歩いていたんです」

少し間をおいてから、ちょっと笑う。

「おかしいでしょ？　でも、母がそのイヤリングを大事にしてることがわかっていたから、わたしたち、真剣だったんです」

「いい話ですよ」

「わたしには、夫にもらったもので、それほど大切なものなんか、何もないんです」

私の探偵は、穏やかに言った。「まだ結婚して二カ月ですよ」

「二カ月の新婚なのに、です。違います？」

私の探偵は答えなかった。早苗は言った。

「見てください。わたしの格好。夫はわたしを着飾らせてくれます。本当のふところ具合は、わたしには教えてくれませんけど、お金はずいぶんあるみたいに見えます。欲しいなんて一言も言ってないのに、何でも買ってくれるわ」

早苗はドアを開けた。ドアがきしんだ。

「これ、見てください。わたしの左手の薬指。指輪をしてるでしょう」

早苗は左手をかざしているらしい。

「これね、主人から贈られた結婚指輪じゃないんです。今度のことがちゃんと決着がつくまで、わたし、あの人からもらったものを身につけたくなくて。だけど、結婚指輪をはずしたままにしておくと、あの人、どうしてはずしてるんだって、すごくうるさく尋ねるし……だから、昔、就職して最初のお給料で買った古い指輪をひっぱりだして、代わりにはめてるんです。こうして、外面だけちゃんとしておけば、和彦さんは……あの人は、指輪が違ってることになんか、気づきもしないんですよ」

私の探偵は、彼女を送り出してドアを閉めながら、言った。

「お姉さんのそばにいて、リラックスして、ゆっくりお休みなさい」

早苗が去ったあと、私の探偵は、椅子に座り込んでじっとしていた。時々、脚を組み替えるだけで、長い、長いあいだ、考え込んでいた。

5

翌週早々に、私の探偵は北海道に向かった。当然、私も彼と同行した。

一人の人間の生活記録をさかのぼってゆくというのは、ただただ根仕事である。塚田和彦の前妻の居所を探る作業は、その見本のようなものだった。

私の探偵は、よく歩いた。よく人と話した。頼み込むような口調のこともあれば、高飛車に出ているときもある。北海道には、いくつか、知り合いのいる探偵社や調査事務所もあるようで、そこに頼んで書類を取り寄せてもらうこともした。

週のなかほどに、いったん東京に戻り、そこから早苗に電話を入れた。

彼女は無事で、元気であるという。夫の様子にも変わったところはない、という。私の探偵は、まだそのまま実家にいた方がいいと勧めて、電話を切った。

塚田和彦の前妻の居所がわかったのは、その週の金曜日のことだった。だが、私の探偵は、彼女に会うことはできなかった。

なぜなら、彼女は死んでいたから。

女の名は太田《おおた》逸子《いつこ》。「太田」の姓は、塚田と結婚する前からの旧姓だ。つまり、彼と離婚してから、彼女は再婚しなかったのである。

私の探偵は、彼女の父親と会うことができた。しわがれた元気のない声を出す老人だった。子供に先立たれると、みなこんなふうになるのかもしれなかった。

「お嬢さんは、塚田さんと結婚して、一年足らずで別れられてますね」

逸子と塚田和彦も、結婚したのは東京で、生活も向こうでおくっていた。逸子は、彼と離婚してから北海道に帰ってきたのである。

「和彦に、ほかに女がおったからですよ」

逸子の父は、唾《つば》を吐くようにして言った。私の探偵が、最初に「塚田和彦について調べている」と言ったときから、非常に協力的だったが、和彦の名前を口に出すときは、汚らわしいとでもいうかのように、攻撃的な口調になった。

「和彦は、自分が調べられていることを勘づいておるようですよ」

「というと?」

「昨日、電話をよこしました。猫なで声で、僕のことを探りに人がいくと思うから、あまりあることないことしゃべらないでくれ、と」

私の探偵は、しばし絶句していた。

私も驚いた。だが、納得できないでもなかった。また、早苗だ。彼女がしゃべったのだろう。こういう依頼人は、いるのである。言わずにはいられない、という衝動に負けてしまうタイプだ。

(ちゃんと調べてるのよ。わかってるの。人に頼んで、元の奥さんにも会いにいってもらうわ。だから隠したって無駄だし、もう嘘をついても駄目よ)

私の探偵はなんとか気を取り直し、訊いた。

「あなたは、その、塚田さんの女をご存じですか？」

「詳しい身元は知りません。ただ、当時、和彦はその女のことを、『ノリコ』と呼んどりました」

私の探偵の肩が、ぴくりと動いた。ワイシャツの胸ポケットのなかにいる私にも、それが感じ取れた。

「顔はわかりますか？」

「逸子と話し合いに東京へ行ったとき、その女の写真を見せられましたから、覚えています。逸子とその女とは、勤め先で一緒だったんですよ。娘を不幸にした女の顔だ。忘れません。それに――」

逸子の父親の口調が、激しさを増した。

「腹の立つことに、去年の十一月、娘が亡くなったときに、葬式にやってきよったんです。お体裁に、香典なんか包んで」

「逸子さんはなぜ亡くなったんです？」

「事故です」と、残された父親は答えた。その言葉を発することで受ける苦痛をできるだけ短くしようというかのように、早口になっていた。「いや、殺人です。轢き逃げでしたからな。夜道を歩いていて、轢かれたんです」

「犯人は――」

「捕まりませんでした」

吐き出すような口調だった。

「ひどい話です。逸子の身体はボロボロで、着ていたコートのボタンまでとれてしまっていました」

私の探偵は、しばらくのあいだ考えこんでいたが、やがて言いにくそうに口を開いた。

「お手元に、その『ノリコ』という女性の写真は――もうないでしょうね？」

父親は、言下に答えた。「写真はないが、ビデオならあります」

「は？」

「逸子の葬儀の模様を、業者が映したのです。それに、『ノリコ』も映っとりました」

6

逸子の父親の好意で、私の探偵は、その場でビデオを観ることができた。

「この女です」と、父親は、「ノリコ」を指して教えている。

「おかしいな」と、私の探偵は言った。「どこかで見た覚えのある顔なんですがね」

「あなたの知り合いですかな」

「いや、そういう意味じゃなしに、テレビか――雑誌の写真かなにかで。最近、彼女の顔をそういう形で目にされたことはありませんか？」

父親は、ない、と答えた。「私は、テレビも雑誌も新聞も、よう見んのです。逸子が死んで以来ね。嫌なニュースは自分のことだけでたくさんだ」

私の探偵は、逸子の父親からビデオを借り受け、家を出た。すぐタクシーに乗りこみ、

「この辺に大きな図書館は？」

「ありますよ。駅の近くに」

私の探偵が図書館へと運ばれてゆくあいだ、かけっぱなしのタクシーのカーラジオから、空港で、東京行きの旅客機が離陸に失敗し、乗客二十数人が重軽傷を負った――というニュースが流れていた。

図書館で、私の探偵は、たくさんの新聞をめくり、雑誌を閲覧した。そして、三十分ぐらいしてから、うなるような声を出した。

「なんてこった」

そして、急ぎ足で出ていく。電話をかける。相手が出ないのか、激しい音をたてて受話

器を置く。また、かける。

今度はつながった。

「佐々木か？　ちょっと、今やってることを全部放り出して、俺の頼みをきいてくれ。住所を教えるから、塚田早苗の実家へ行ってみてほしいんだ。彼女、電話に出ないんだ。無事でいるかどうか確かめて、俺がもどるまで、見張っててほしい。え？」

佐々木がなにか言っている。それをさえぎるように、私の探偵も言った。

「塚田和彦の愛人の『ノリコ』が誰だかわかったんだ。彼女は実在している。いいか、よく聞いてくれ。森元法子のことなんだよ」

佐々木はまたなにか言う。

「そうだ。あの森元法子だ。去年の暮れ、旦那の森元隆一が殺されて、一度は彼女も取り調べを受けている。あの法子だよ。旦那が死んで、八千万円の保険金を受け取った女だ。間違いない。俺も、テレビに映った彼女の顔を、さんざん見せられた。だから、見覚えがあったんだ。あの事件、犯人はまだ捕まってないな？　そして、森元法子には、男関係の噂があった。そうだな？」

受話器の向こうで佐々木のがなる声が、私にも聞こえた。

「すぐこっちへ戻って来い！」

だが、東京へ戻った私の探偵を待っていたのは、塚田早苗が行方不明になったという報らせだった。

早苗の死体は、翌々日の夜、羽田《はねだ》空港近くの倉庫の駐車場に捨てられているのが発見された。撲殺《ぼくさつ》だった。何者かに、鈍器のようなものでめちゃめちゃに頭を殴られているという。腕時計や、ハンドバッグの中身には手をつけられていなかったから、無論、物盗《ものと》りの仕業《しわざ》ではない。ただ、奇妙なことに、彼女の左手の薬指から、結婚指輪が——早苗が私の探偵に話していたかぎりでは、結婚指輪に見せかけていただけのものだが——抜き取られ、持ち去られていた。

彼女の姉の話によると、早苗は一昨日——つまり、私の探偵が「ノリコ」の正体を知ったその日、私の探偵が彼女に連絡を入れるほんの少し前に、別の誰かに電話で呼び出されたのだという。

「妹は、ちょっと頼みごとをした相手が、北海道の空港であった事故に巻き込まれて、大怪我をしたらしい、と言いました」

(その人、当分入院しなきゃならないらしいの。でも、わたしにすぐ渡したい資料があるとかで——)

(早苗、どうするの?)

(電話をくれたのは、その人の仕事仲間なの。代わりに持ってきてくれるっていうから、

羽田まで取りに行ってくるわ)
「そして、それっきりだったんです」
騙《だま》されたのだ。はめられて、罠《わな》に向かっていったのだ――

「やられたな」と、佐々木は言った。

私の探偵の事務所である。二人して、頭を抱えている光景が見えるようだった。

「利用されたんだ。おまえさんの動きは筒抜けだったようだから」

そう言ってから、佐々木は口調をやわらげた。

「早苗夫人が、そんなふうにベラベラしゃべっていたとは思えなかったよな」

「予想してなきゃいけなかった」と、私の探偵はつぶやいた。

「しかし、テキは素早いな。抜け目ない。いくらおまえが北海道にいることをつかんでいたとしても、空港で起きた突発事故を利用して、早苗夫人を呼び出すとは」

早苗は、どの辺から、私の探偵について、和彦に話していたのだろう。ひょっとすると、私の探偵を雇ってすぐに、打ち明けていたのかもしれない。

(調べてもらってるわ……)

それなら、和彦の方で、逆に早苗を尾けて――法子に尾けさせて――この事務所を突き止めることも造作なかったろう。きっとそうだったのだ。

早苗を責めることはできまい。彼女は怖がっていた。夫に、自分にも味方がいるのだと言わずにはいられなかったのだろう。だから、わたしだってそうやすやすと殺されたりしないわよ、と。

だが、和彦と法子は、彼女よりも役者が上だった。

「それにしても、危ない綱渡りだな」

「向こうも焦ってたんだ」

「早苗夫人殺しについて、和彦にはアリバイがあるよ。畠中と伊豆《いず》に行ってたんだ。一泊でな」

そう言って、わずかに、佐々木は慰めるような口調になった。

「だが、警察も、今度はそう簡単には引き下がるまい。状況証拠にすぎないが、彼と森元法子が愛人関係に——共犯関係にあるという線が見えてきたからな」

「森元隆一殺しで、どうしても発見できなかった法子の『男』が、和彦だとわかったわけだからな」

「そうだ。捜査は進むぞ」

「だが、確証はないんだ。二人ができてたって、それぞれの夫と妻を殺しあったなんて証拠は、これっぽかしもないんだぞ?」

「今は、まだな」

沈黙が落ちた。

「おまえは？　手を引くのか？」

私の探偵は吐き捨てた。「冗談じゃない」

一人になってから、私の探偵は立ち上がり、恐ろしく力を入れて、自分の椅子を蹴り飛ばした。

それから、引き出しを開け、少し思案してから、早苗が残していったイヤリングを、私のなかの、小さなポケットに入れた。

私は預かったよ、私の探偵。

早苗の探偵――。

目撃者の財布

1

姉妹という言葉の意味、あたしは知りません。知らなくても、べつに困ることもないんです。あたしにはそういうものがいないから。

だけどこのごろ、あたしの持ち主は、しきりと「姉妹」という言葉を口にしています。「姉妹のように仲良くしてきたのに」とか、「ホントの姉妹みたいに思ってきたのに」とか。そのあと悲しそうに溜め息をついたりしているの。

あたしの持ち主は、今年やっと十九歳になったところです。鼻のまわりにソバカスが散ってて、ほっぺたがふっくらしてて、とても可愛いの。寮祭のときに、同室の娘と二人でセーラー服を着て歌ったら、すごくウケたものでした。

あたしの持ち主は、バスガイドをしています。出身は東京じゃないけれど、今は東京を案内するのがお仕事。ぴったり身体についたミニスカートのスーツに、可愛い帽子を頭の端にちょこんと載せて、旗を持って歩くのよ。東京タワーへ、浅草《あさくさ》の雷門《かみなりもん》へ、皇居の二《に》重橋《じゅうばし》へ。

そして、足にはマメをこさえています。誰にも見せないけれど。今のところ、彼女の足のマメまで可愛いと思ってくれる男性が現われていないから。

一度だけ——そうね、ふた月くらい前だったかな——そんなふうに進展しそうな男性がいたことがあったんだけど、うまくいかなかったみたいでした。

音楽を聴きながら、泣いてたことがあったんです。ちょっと鼻にかかったような声で歌う、女の歌手の歌。同室の娘《こ》が、「失恋したんなら、これがBGMにぴったりよ」って教えてくれたんです。

人間の若い女の子って、不思議ですね。泣くために音楽が要るなんて。そもそも「泣く」ってのはどんなことなのかしら。自分が空っぽになること？　だから音楽で埋め合わせをするのかしら。

そのころ、あたしの持ち主は、何度かあたしからお金を出して、その歌手の「CD」とかいうものを買いました。着るものを買うときは、いつも慎重に考えてお金を使う娘なのに、あのときだけは見境いがなかった。よほど辛かったのか、よほどあの歌手の歌に中毒したのか、どっちかでしょう。

そのうち、とっくに失恋のことなんか忘れてるのに、その歌を聴くと自動的に涙ぐんじゃったりするようになりました。これはちょっとおかしかった。

でも、あたしは笑いませんでした。彼女の味方だもの。彼女が一人、この東京で暮らしていくために、いちばん必要なものを預かってるんですもの。

そう、あたしは彼女のお財布。給料日の前に、心細そうにあたしを覗《のぞ》き込む彼女の目の色を知っています。デパートやブティックで、欲しいスーツやブラウスの値札を確かめてから、洗面所でそっとあたしの中身を数えるときの彼女の、やわらかい指の感触を知っています。そのあと彼女がその指を折って、あとの生活を考えたらどこまでお金を使うことができるか計算してる、その小さな声も聞いています。

あたしは彼女のお財布。若い娘の足元をすくう風が吹く世間から彼女を守る、ささやかな砦《とりで》。

だけど今、あたしの力では守りきれないことが起こりそうな気がしているんです……。

「女の友情があてにならないって、ホントね」

あたしの持ち主が言っています。寮でくつろいでいる夜のこと。お風呂に入って、足のマメにクリームをすりこみながら。

同室の娘は、顔になにやら真っ白なものを塗っています。「パック」とかいうものらしいんだけど、彼女がこれをやるたびに、あたしはいつもびっくりしてしまうの。

「例の友達でしょ？　美咲《みさき》さんていったっけ」

「うん。サキちゃん。ホントの姉妹みたいに仲良くしてたのにな」

「しょうがないわよ」と、同室の娘は平べったい声で言います。パックをしているときは、顔を動かしちゃいけないらしいの。「男ができちゃったんでしょ？　だったらもう、女友達なんかにかまってるヒマないわよ」

「でもあたし、とっても困ってるのよって言ったのよ。相談したかったのに」

「なにを困ってんのよ」

「だから、ほら……」

同室の娘は、手品みたいに普通の顔に戻りました。パックをはがしたのね。

「ああ、さっぱりした」白い皮みたいなものをクズカゴに放りこんで、「あ、そうか。あのヘンな男のことね？」

あたしの持ち主は頷《うなず》いて、色の白い丸顔を不安そうに曇らせました。

「このあいだ、また見かけたの。あたし怖いな」

同室の娘は、少し呆《あき》れたみたいな顔で、あたしの持ち主を眺めています。「ねえ、マコちゃん、そのことなら、あたしとさんざん話し合ったじゃない。気にするのはよそうって決めたでしょ？　だからもう、ほかの人に相談することなんかないわよ」

あたしの持ち主は、「マコちゃん」と呼ばれているの。マコちゃんは手の爪を見つめながら、

「うん。でもね……」とつぶやきました。

「大丈夫よ。あの男が何もするわけないじゃない」

「だけどあの人、あのネックレスを探してたのよ、きっと」マコちゃんはすごく真面目な態度で、ベッドの上に座り直しました。「で、あたしたちがあれを拾ったってことにも、気がついてると思うわ。だから、返してほしくて近くをウロウロしてるのよ」

「そんなことありっこないって」同室の娘は声をたてて笑って、「マコ、考えすぎよ。あんたってホントに気が小さいのね」

マコちゃんは黙ってしまったわ。

彼女はたしかに気の強い方じゃありません。研修期間中も、同期の娘たちのなかで、いちばんの泣き虫だったわ。ホントにガイドさんになれるのかしらと、あたしも心配でしょうがなかったくらいです。

だけど、決して頭の悪い娘じゃない（計画的にお金を使えるってことは、その証拠よ）。そして、ことこの件に関しては、マコちゃんの不安は的中してるんです。だからあたしは恐ろしいし、あたしでは彼女を守りきれないと思っているの。

ことの起こりは、半月ほど前。マコちゃんが、毎朝のジョギングの途中でお財布を拾ったということでした。

最初、マコちゃんがその財布を持って帰ってきたとき、あたしは縫い目がはじけちゃうかと思いました。下品で、ゴテゴテしてて、毒々しい真っ赤な色地に、きらきら光る飾りがいっぱいついてた。見るからに安物。もちろん合皮に決まってます。あたしだってそれほど値の張る財布じゃないけれど、それでもいちおう本革ですよ。

そのお財布は、お金もたいして抱いてなかった。二千円とちょっと。それでもマコちゃんは交番へ届けようとしたんだけど、同室の娘に止められたんです。

(そんなの届けても、交番だってイヤな顔するわよ。中身だけもらって、捨てちゃいなさいよ)

気の弱いマコちゃんは、同室の娘の意見には逆らったことがない。で、言われたとおりにしました。ネコババというやつですね。あたしもべつにそれはかまわないと思ったけど、とにかく早くその財布を遠ざけてほしかった。

ところが、その真っ赤なお財布は、お金以外のものを持っていました。それがネックレスだったの。

マコちゃんたちも、最初はイミテーションだろうと思ってたのね。ところがところが、ホンモノだった。十八金にエメラルド、ダイヤモンドの縁取りで、時価三十万円相当のものだっていうじゃありませんか。

(こんな高いものだったなら、やっぱり届けた方が――)

（今さら遅いわよ。知らん顔してりゃいいじゃない）

というわけで、エメラルドのネックレスはマコちゃんと同室の娘の共同財産になりました。精一杯おしゃれをしたときにだけ身につける、大事な宝物です。

（素敵なネックレスをくれたお財布だから、捨てるのはよそうっと）

お人好しのマコちゃんは、そんなふうに言って、そのお財布を引き出しにしまいました。あたしは彼女がふいと気まぐれを起こして、あたしの代わりにその財布を使うことにしたらどうしようと気をもんでいたわ。

でも、よく知り合ってみると、そのお財布も悪いヤツじゃなかったんです。たしかに品の悪いところはあるけれど、あたしよりはずっと大人だったし、短いあいだに、あたしたち、すごく仲良くなりました。まるで親友みたいにね。

そして彼女――そう、その財布も「女」だった――大変な話をしてくれたの。彼女の前の持ち主だった女性は、殺されて、どこかこの寮の近くに埋められてるんだっていうんです。

2

大本《おおもと》の原因は、ある保険金殺人だって言いました。殺されたのは「モリモトリュウイチ」。犯人は彼の奥さんの「ノリコ」。もちろん、彼女ひとりの仕業じゃない。男が絡んでる。愛人ですね。二人で共謀して、邪魔な夫を片付けた上、保険金を頂戴《ちょうだい》しようという計画だったんです。

そして、派手なお財布の持ち主は、殺された「リュウイチ」さんの行きつけの店のホステスで、どうやら事件の鍵になる「何か」を握っていた――少なくとも、「握ってるわよ」と「ノリコ」を脅していたというんです。つまり、強請《ゆす》っていたということね。

(そんな馬鹿なことをしたから殺されちゃったのよ)と、派手なお財布は言っていました。

(あたしは、彼女の死体がどこかへ運ばれていく途中で落ちちゃったの)

(『ノリコ』たちはまだ捕まってないのね?)

(当然よ。警察も一時はすごく疑って、一生懸命になってたようだけど、決め手がないらしいものねえ)

それだけでも充分怖い話だけど、まだ先がありました。

(あたしの抱いてたあのネックレスね、前の持ち主が『ノリコ』から脅しとった代物よ)

それを聞いたあたしは、もうファスナーがいかれちゃうんじゃないかと思うほど驚きました。あたしのマコちゃんが、そんなネックレスを身につけるなんて――

派手なお財布も、そのことを本当に案じてくれていました。彼女、マコちゃんを好きだったんです。

(可愛いわねえ。あたし、今まで一度だって、あんないい娘に持ってもらったことなかったのよ)

その彼女は今どうしてるかって？　今はもう、ここにはいません。いつまでもとっておく必要なんかないって、同室の娘が、つい先週のゴミ回収の日に、マコちゃんには無断で捨てちゃったんです。

最後の最後まで、彼女は言ってました。

(ねえ、気をつけてあげてね。あなたのいい娘ちゃんに恐ろしいことが起きないようにね。頼んだわよ)

だけど、いったいあたしに何ができるっていうんでしょう？

それでも、あたしもいろいろ考えました。たとえばマコちゃんが、一度でもいい、あのネックレスをはずして、あたしのなかにしまってくれたら——と。あたし、マコと別れるのは淋《さび》しいけれど、この際我慢するわ。我慢して、なんとかして彼女のバッグのなかから飛び出して、どこか道端に落っこちてみせる。

でも、今までのところ、そんな機会はやってきません。そして、派手なお財布が心配してたようなことが起こり始めてきたんです。

一昨日の朝のことでした。ジョギングから帰ってきたマコちゃんたちが話していたんです。

「どうしよう。嘘ついちゃった」

「平気よ。バレるわけないって」

どうやら、彼女たち、ジョギングの途中で——ちょうどあのお財布を拾った辺《あた》りで、知らない若い男に声をかけられたらしいんです。二週間ぐらい前に、この辺で財布を拾いませんでしたか？　誰かが拾ったという話を聞いていませんか、と。

あの派手なお財布のことに間違いありません。あたしは震えあがりました。なかに入っている小銭がカチカチ鳴るほどに。

あのお財布を探しているのなら、彼女の前の持ち主を殺した男であるに違いない。そして、彼はたぶん、ネックレスを探しているのです。「ノリコ」のネックレスを。

その男、外見は格好いいし、高そうな洋服を着ていたそうです。でも、まっ黒なサングラスをかけているし、言葉は丁寧だけれど、インチキなセールスマンのように、油断のできない印象を受けたというじゃありませんか。

当然よ、マコちゃん。そいつは人殺しなんだもの。

自分たちを強請っていた女を片付けたあと、「ノリコ」とその愛人は、強請屋に渡したネックレスを取り返そうと、家捜しなんかをしたんでしょう。でもネックレスは見つからない。財布も見当たらない。だから、死体を運ぶときにどこかに落ちたのだろうと見当をつけて、現場へ戻ってきたのでしょう。

ああ、大変なことになってきた。

マコちゃんは慎重なタイプの女の子で、男の人に声をかけられても、そう簡単に気を許したりはしません。でも、嘘は苦手な娘です。財布を拾いませんでしたか？　と尋ねられて、まるっきり知らん顔をすることができたとは、あたしには思えませんでした。彼女、きっと狼狽して、それを態度に表わしてしまったと思ったんです。

その勘は当たっていました。その朝から今日までのあいだに、彼女は二度も、寮の近くでその男の姿を見かけているというのです。

見張られてるんだ――と、マコちゃんは思っています。

それで困ってる。怖がってる。同室の娘は笑い飛ばしていますが、怖がっているマコちゃんが正しいのです。

翌朝、出勤の前のあわただしい時に、マコちゃんはまたサキちゃんに電話をかけました。

「姉妹のように仲良くしてきた」という親友だから。

「相談があるの。ええ、昨日も言ったでしょ？　そうなの――」

でも、返事はまた素っ気ないものだったようです。マコはがっかりしたような感じで、

「そう、じゃ、仕方ないわね」と言って受話器を置き、あたしの入ったバッグを取り上げて、一日の仕事へと出かけていきます。

マコちゃん、サキちゃんなんかをあてにしてる場合じゃないのよ。もっと頼りになる人

に相談をなさい。あたしはバッグの底で祈りました。ほかには何もしてあげられないのだから……。

3

その日の夕方、あたしはマコちゃんと一緒に、なんだかすごく騒がしい場所にいました。バッグの底にいるので周りを見ることのできないあたしには、どこだか見当がつきません。今まで感じたことのない雰囲気でした。

人の足音がします。電話が鳴っています。きびきびと応対する声がします。すぐそばで、「あのぉ……車が見つかったって電話もらったんですけどぉ」と、誰かが遠慮がちな口調で言っています。

ここ、どこかしら?

と、別の誰かが声をかけてきました。「お嬢さん、何かご用ですか?」

マコちゃんは飛び上がりそうになりました。

「え、いいえ、なんでもないんです」

そのまま走って表に出てしまいました。駅のざわめきが近付いてくるまで、ずっと足早に歩いていました。

夜になって、寮に電話がかかってきました。サキちゃんからでした。

「これから？　今どこにいるの？」

すぐ行くわねと答えて、支度しました。バッグは持たず、あたしをそのまま手に持って、走っていきます。

そこは寮の近くにあるコーヒーショップでした。マコちゃんが、ときどきケーキを食べにくるお店です。

サキちゃんが、奥のボックスに座っていました。あまり機嫌がよさそうな顔をしていませんが、おしゃれな服装でキメています。真っ赤なミニスカートに、丈の短いジャケットをあわせ、大きなイヤリングが顔をひきたてていました。

「デートがつぶれちゃったの」と、頬《ほお》をふくらませて言います。「忙しい彼氏なんて持つもんじゃないわね」

それだから、マコちゃんに会う時間ができたというわけです。

サキちゃんは、マコちゃんと同じ町の出身です。高校まで一緒で、その先が違いました。マコちゃんは就職、サキちゃんは今、短大生です。大学の話は出たことがないので、なにを学んでいるのか、マコちゃんもよく知らないようでした。

「ねえ、相談ってなあに？」

サキちゃんは切りだしましたが、なんとなくうわの空のようでした。マコちゃんがしつこいから、嫌々会《いやいや》いにきたのだ、という感じを受けました。

彼女がこんなふうな態度をとるようになったのは、ここ二カ月ばかり前からでした。マコちゃんの同室の娘は、ただ「男ができたからよ」と言い切っていましたが、あたしには、それだけが原因とは思えないのです。今までだって、彼女には複数のボーイフレンドがいましたし、彼らのことをマコちゃんに話して——自慢して聞かせることが、サキちゃんの楽しみのひとつだったと知っているからです。

それが、今度ばかりはちょっと違うのです。「恋人ができた」と言ってはいるものの、どこのどんな男性なのか、詳しいことを話そうとはしません。以前のボーイフレンドたちのときのように、マコちゃんに紹介して、見せびらかすこともしようとしないのです。

さらに不思議なのは、マコちゃんが失恋したことを知っているはずなのに、そのことについてひと言も触れようとしない、ということでした。

マコちゃんが失恋した男性のことを、あたしはよく知りません。

二人が知り合った場所は、サキちゃんのマンションの部屋でした。ダブルデートとでもいうのでしょうか。サキちゃんがボーイフレンドを食事に招待し、すると彼が友達を一人連れてくるというので、じゃあマコも呼んで二対二にしましょう、ということだったのです。

そこでは、あたしの入ったバッグは別の部屋に置かれていましたので、時々楽しそうな笑い声が聞こえてくるだけで、マコちゃんがどういうふうにしてその彼と親しくなったのか、わかりません。ただ、そのあと二、三度寮に電話がかかってきたし、そのときのマコちゃんが本当に楽しそうだったから、ああ、うまくいってるんだなあと思っていたのです。

それが突然、パッと駄目になってしまった。事情は全然わかりません。何があったのか、あたしには謎です。わかっているのは、そのときも、マコちゃんがサキちゃんに相談したらしい、ということだけ。ずいぶん長電話をしていました。

話が前後してしまいました。そう、今マコちゃんは、最近人が変わってしまったサキちゃんと向きあって座っています。

マコちゃんは、恐る恐るという口調で、サキちゃんに事情を説明しました。サキちゃんはスリムな煙草をふかしながら黙って聞いていました。

そして、言いました。「考えすぎじゃない？」

「そう――かなあ」

「そうよ。大の男が、そんな安物の財布ひとつぐらいに、いつまでもこだわってるはずないじゃない」

普通ならねと、あたしは思いました。だけど、その男は人殺しなのよ。普通じゃないのよ。

「でも、ネックレスが……」

「三十万円ぐらいのエメラルドじゃ、たいしたことないわよ。気にすることないわ」

あらまあと、あたしは思いました。サキちゃんはお金持ちなんだ。

結局、なんのために相談したのかわからないような形で、話はしぼんでしまいました。

あたしには予想のついていたことだったけど、マコちゃんは芯《しん》からがっかりしているようでした。

でも、優しい娘なのです。友達を気遣うことを忘れていません。

「ごめんね、こんな話を聞かせて」

「いいわよ。しゃべったらスッとしたでしょ？」

「ええ、そうね」

そんな呑気な話じゃないのよと、あたしは叫びたい気持ちでした。

「サキちゃん、彼とうまくいってるみたいね」

「まあね」と、サキちゃんは歯切れの悪い答え方をしました。

「結婚……考えてるの？」

サキちゃんは初めて、くすぐったそうに笑いました。「うん。彼ならいいかな、とは思ってるわ」

「若すぎるとか思わない？」

「全然。あたし、売れ残りたくないもの」

「ふうん。彼、どんな人？　仕事はなに？」

サキちゃんは、不自然なほど素早く答えました。「そんなのどうだっていいじゃない。マコに関係ないでしょ」

マコちゃんは驚いて、あたしが情けなくなるほどおどおどしました。

「そうね。関係ないっていえばそうだけど……。ごめんね。そのうち、気が向いたら紹介してね」

サキちゃんは返事をしませんでした。

寮への帰り道、マコちゃんは一人、軽い足音をたてて歩いています。

辺りは真っ暗。マコちゃんの勤める観光バスの会社は、寮と車庫を、都内からちょっと離れたところに置いているのです。まだ、なだらかな丘や雑木林がふんだんに残っている土地に。

死体を捨てても、ちょっと気づかれないような土地。

あたしは不安になってきました。マコちゃん、もっと早く歩こうよと、急《せ》かしたくなりました。

その思いが通じたわけではないのでしょうが、彼女はだんだん早足になっていきます。そうなのです。マコちゃん自身、気味が悪くなってきたのでしょう。

早く、早く。

そのうち、マコちゃんは走りだしました。息がはずんでいます。あたしは寮の明かりが見えてこないかと、そればかり気にしていました。

と、いきなりマコちゃんは足を止めました。そしてあたしは気づいたのです。彼女の足音にわずかに遅れて、誰か別人の足音がぴたりと止まったことに。

雑木林の枝が鳴る、乾いたささやきが聞こえます。マコちゃんの荒い息遣いも聞こえます。

彼女は震えていました。あたしを持つ手が汗ばんでいます。

どこか遠くで、パシッとものが折れるような音がしました。マコちゃんは弾かれたように駆け出し、どんどんスピードをあげて走り続けました。今度は止まりませんでした。寮の正面玄関に駆け込んで、うしろ手にドアを閉じるまで、決して足を止めませんでした。

やっと振り返り、ガラスのドアごしに外を見つめました。暗く静かな夜のなかにぽつりと、街灯の明かりがまたたいています。櫛《くし》のような形の月が、梢にひっかかるようにして浮いていました。

もちろん、誰も追いかけてはきませんでした。だけど、マコちゃんはもう、外に出てそれを確かめようとはしませんでした。

4

翌日の夕方、マコちゃんは、またあの騒がしい場所を訪れていました。

今度はぐずぐず迷っていませんでした。でも、相当勇気を出さなければならないのか、たくさんの人の気配がするところへ歩み寄って声を出したとき、その声は、初めて一人でお客さまを案内したときよりも、もっとひどく上擦《うわず》っていました。

「あの——すみません。保安課の沢井《さわい》さんはいらっしゃいますか？」

「沢井ですか？」と、相手は確認しました。女性でしたが、とてもきびきびした口調でした。

「お約束が？」

「いいえ。ないんです。ただ、ご相談したいことがあって……」

相手はちょっと考えているのか、間をおきました。そして、「お名前は？」

「佐藤雅子《さとうまさこ》といいます。沢井さんとは、以前にお目にかかったことがあります」

マコちゃんは、しばらくそこで待たされました。そのあいだに、そばを通りすぎて行った人たちのやりとりを聞いて、あたしはびっくりしました。

「まずいよなあ、せっかく執行猶予で済んでたのに、今度パクられちゃ、もうムショ行き間違いないだろ？」

「あの刑事も呆れてたよな」

ここは警察だったのです。


「お待たせしてすみませんでしたね」と、沢井刑事は言いました。若い男の人で、スポーツをやっているのか、張りのある声でした。

マコちゃんは、あたしを入れたバッグを膝に載せていました。だから、彼女がハンカチを取り出すためにバッグを開けたとき、ちらっと顔を見ることができました。

緊張していました。でも、とても綺麗《きれい》にも見えるのです。どちらかと言えば地味な顔立ちのマコちゃんですが、頰が少し上気して、目がきらきらしていました。

おや？　と、あたしは思いました。

「突然うかがってしまって、ご迷惑をおかけします」

マコちゃんは頭を下げたのか、膝が揺れました。

「いいんですよ、遠慮しないで。どうしたんですか？」

沢井刑事は穏やかな口調で質問しました。頭を撫《な》でながら話しているような、優しい感じでした。こういう声を出すことのできる若い男の人を、ほかに一人だけ知っています。

その人は、以前マコちゃんの同室の娘が胃痙攣《いけいれん》を起こして、夜中にタクシーで救急病院に行ったとき、診《み》てくれたお医者さまでした。

マコちゃんは事情を説明しました。途中でまたバッグを開け、べつのハンカチを取り出しました。

「これがそのネックレスです」

ハンカチに包んで持ってきていたのです。

「ちょっと失礼。拝見しますね」

沢井刑事はそう言って、ネックレスを見ているようです。

「あたし……恥ずかしいことをしました」泣きだしそうな声で、マコちゃんは言いました。

「泥棒をしたんですもの」

少し間をおいてから、沢井刑事が言いました。「たしかに、拾ったものを警察に届けないのは法律に触れることですが……」

えへん、と咳払いして声をひそめると、「大きな声じゃ言えませんが、よくあることですよ」

「でも、罪になるんでしょう?」

「まだなんとも言えないな」と笑って、「二束三文の偽物かもしれませんからね」

「本物だって言われたんです。鑑定してもらって……」

しい、と、沢井刑事は言いました。くちびるの前に指をあてているのでしょう。

「そのことは、今は思い出さなくていいです。僕はまだ、仕事としてじゃなくて、友達としてお話をうかがってるだけですからね」

マコちゃんの膝から力が抜けたのか、バッグがちょっと揺れました。

「それより、あなたを監視しているように見えるという男のことを聞かせてください」

マコちゃんは素直に、できるだけ詳しく説明しました。

「もう一度顔を見たら、わかりますか？」

「はい、たぶん」

「そう……」沢井刑事は考え込むように間を置いてから、言いました。「今後、その男を見かけることがあったら、どんな服装をしているかとか、どんな車に乗ってるかとか、気をつけて観察してみてください。見かけた場所も覚えておいて、すぐ僕に報らせてください。ただし、相手に声をかけちゃいけませんよ。気づかないようなふりをして、なんでもない顔をしているんです。いいですね？」

「わかりました」

「それから、夜は一人歩きをしないように。寮の周りは、あまりにぎやかな場所じゃないんでしたよね？」

おや、よく知っている。この人、マコちゃんのどういう「友達」なのかしら。

そう思って、あたしはハッとしました。もしかしたら、この沢井刑事が、マコちゃんの失恋の相手だったんじゃないかしら。

だけど、引っ込み思案のマコちゃんが、振られた男の人に、わざわざ会いにくるとも思えないし……

「このネックレス、刻印がありますね」と、沢井刑事は言いました。「ほら、この止め金のところに。ナンバーと、何かマークが入れてあるな」

「お店のしるしでしょうか」

「かもしれません。宝石店のなかには、商品に通しナンバーを打って顧客管理をしているところもありますからね」

「持ち主を探す手がかりになりますか？」

「ひょっとするとね」

あたしはワクワクしてきました。この刑事さん、なかなかしつこい人のようです。もしも彼が、このネックレスの持ち主が「モリモトノリコ」であることを突き止めたなら……

お手柄だわ！　だって、「モリモトノリコ」は、夫殺しの疑いをかけられたことがある女で、その事件はいまだに未解決なんだもの。大騒ぎになるでしょう。ひいては、寮の近くのどこかに埋められている、彼女を強請っていた女の死体を発見することにまで結びつくかもしれません。

「ひとまず、これはお預かりしておきます。個人的な預かり証を書きますからね。あくまで個人的ですよ。まだ事件にはしませんからね。時間をつくって、持ち主を探すことができるかどうか調べてみます」

安心させるように、沢井刑事は言います。ちょっと甘いんじゃないの？ という気もするけれど、あたしのマコちゃんに優しくしてくれる分には、なんでも許しちゃうわ。

「よく、僕を思い出してくださいましたね」と、彼氏、少し照れ臭そうに言っています。

「とっくに忘れられてると思ってましたよ」

マコちゃんは黙っています。もう、こういうときに、気のきいた台詞《せりふ》を言わなきゃ駄目じゃないの。

「美咲さんのところで集まったのは、いつだったかなあ。もうだいぶ前の話ですよね」

おや！ あたしは本当にびっくりした。この人、あのダブルデートのときにいた人なの？

じゃ、やっぱりマコちゃんを振った人？ それともサキちゃんのボーイフレンド？

マコちゃんを振った男なら、今の台詞は無神経すぎる。でも、彼がサキちゃんのボーイフレンドなら、マコちゃんがここを訪ねてくる前に、彼女にひと言、「沢井さんに相談してみたいんだけど」と話していそうなものじゃない？

さっぱりわからなくなってしまいました。

「気をつけて。いいですね、夜道の一人歩きはいけませんよ。ジョギングも、お友達と一緒にした方がいい。できれば、しばらく休んだ方がもっといいです」

そう言って、沢井刑事はマコちゃんを帰しました。

帰り道のマコちゃんの足取りは、それほど軽くはありませんでした。物思いに沈んでいるように、ときどき足を止めたりしました。

どうなってるのよ、マコちゃん……？

5

二、三日後のことです。

あたしはいつものようにバッグにおさまり、マコちゃんと仕事にゆきました。彼女は少し、元気を取り戻しているように感じられました。

観光バスガイドの仕事は、出発前に、お客さまをお迎えするところから始まります。ドアの脇に立ち、「おはようございます」と明るく声をかけるのです。

その日のツアーは、日帰りの東京名所案内でしたが、地方からの団体客を対象としたものではありませんでした。個人で申し込んだお客さまばかりの、寄せ集め団体だったんです。

東京に暮らしている人ほど、東京を知らない。よくあることです。東京は大きな象みたいな街ですから、その背中の上に暮らしていると、耳や鼻や足やしっぽがどうなっているか、じっくり知る機会がないのですね。それで、「東京観光してみるか」ということになるわけ。

「おはようございます」マコちゃんはいい声であいさつを投げています。あたしは気持ちよくそれを聞いていました。

ところが、あるところで急に、彼女の声が乱れたのです。息を呑んだかのように、あいさつがぷっつりと途切れました。

どうしたんだろう？　そう思っていると、お客さまがステップをあがってゆく足音が聞こえ、気をとり直したマコちゃんが、またあいさつの言葉を述べ始めました。

でも、その声から輝きが消えていました。

おまけに、その日のガイドはさんざんでした。彼女はしょっちゅう間違え、つっかえました。衆議院と参議院の建物を逆に紹介して、お客さまに訂正されたりしたのです。考えられないことでした。

でも、その日の仕事が終わったとき、彼女が飛びつくようにして沢井刑事に電話をかけたので、あたしにもその理由がわかりました。

「来たんです、あの男が」マコちゃんは泣き声になっていました。「お客としてバスに乗りこんできたんです！」

沢井刑事は、寮まで駆けつけてきてくれました。

「それで、あなたに何かしたんですか？」

「何も。でも、じっとあたしを見てました。怖かったわ」

「話しかけてきた？」

「いいえ、ただ見つめていただけです」

「ツアーの申込書の控えはありますか？」

刑事はそれを受け取り、ロビーの公衆電話から、そこに記載された電話番号にかけてみました。

「でたらめですね」と言いながら、受話器を置きました。「この番号は使用されていないというテープが聞こえてきますよ。ほら」

あたしは心底恐ろしくなってきました。いったい、あの男は何者なんでしょう。

いえ、何者かはわかってる。あたしはわかってる。

人殺しで、夫殺しの「モリモトノリコ」の愛人。

「名前も偽名だろうな……」

沢井刑事の声が、少し厳しくなりました。

「ご足労ですが、明日、また署まで来ていただけませんか。できたら一日休暇をとって。

どうも気分のよくない展開ですからね。僕も上司に報告して、相談してみます。どうすればいいちばんいいか、考えてみましょう」

　翌日、マコちゃんは言われたとおりにして、警察へいきました。沢井刑事の上司は、年配のがらがら声の人でした。拾った財布を届けなかったことについて、ちらりと叱《しか》るようなことを言いましたが、くどくどと嫌味を並べたりはしませんでした。

　マコちゃんは、たくさんの写真を見せられることになりました。あの男を探すためにです。あたしは、何時間も、紙がめくられるような音を聞きました。でも、マコちゃんの「あ、この人です！」という声を聞くことはできませんでした。

「今の段階じゃ、まだどうしようもないしなあ」沢井刑事の上司はがらがら声で言いました。

「でも、気になりませんか？」と、沢井刑事。

「落とした財布がそんなに気になるなら、もっと直接的に彼女に声をかけてきたっていいわけですよ。監視するような真似をしなくてもね。それに、問題の財布は、派手な女性用のものなんだし」

「まあ、そう力みなさんな」上司は笑って言いました。「今すぐどうのこうのということはなかろうよ。それに、お嬢さんは寮に住んでるんだから、その点じゃ安心だ」

　とにかく、今度その男を見かけたらすぐ報らせること、ひとり歩きはしないこと。そのふたつを念押しされて、マコちゃんは警察を出てきたのでした。

「あの刻印からネックレスの持ち主を調べだすことができれば、いちばんいいんですけどね」

沢井刑事の言葉に、あたしは（そうよ！）と叫びました。（あのネックレスの陰には、すごい事件が隠れてるのよ！）

マコちゃんには、ただ待つことしかできない日々が始まりましたが、沢井刑事はほとんど毎日のように電話をくれました。一度は、上司と一緒にやってきて、問題のお財布を拾った現場へと、マコちゃんに案内させることもしました。あたしはついてはいかなかったけれど、寮へ戻ってきた彼が、

「淋しい場所ですからね。当分、近づいちゃ駄目ですよ」

と言っているのを聞くことはできました。

マコちゃんは素直に承知しました。「あの、あたしがノイローゼ気味になってるのかもしれないんですけど」

「どうしました？」

「今日あの場所を歩いているとき、誰かに見られているような気がしませんでしたか？」

二人の刑事さんは、そんな感じは受けなかったと答えました。

「あまり思い詰めないほうがいいですよ」

マコちゃんは、自分が巻き込まれている事件のことを、同室の娘にしか打ち明けませんでしたが、彼女はすこぶるつきのおしゃべりですし、こういうことには敏感なので、沢井刑事が「公務のため」という以上に親身になってくれていることは、すぐに噂になりました。

「刑事かあ。いいじゃない」

「地元の警察だもんね。転勤だってないんでしょ？」

「うまいことやったね、マコちゃん」

そんな言葉を投げられても、マコちゃんはあまり元気な声で応対することはありませんでしたけどね。

何日か、表向きは平穏にすぎてゆきました。台風の余波で大雨が降り、予定していたツアーが取り止《とや》めになったので、マコちゃんはゆっくり休養をとることもできました。あたしにはホッとすることでした。

急に、冷え込みが強く感じられるようになった夜のことでした。久しぶりにサキちゃんから電話がかかってきました。あの喫茶店にいるから、今から出てこないかというのです。

マコちゃんは、その後の事情を、彼女には話していませんでした。あたしとしては、べつに話す必要もないと思いますが、これまではどんな小さなことでもすべて彼女に打ち明けてきたマコちゃんにしては、不思議な態度です。どこか遠慮しているような節もあるし、気になりました。

「ごめんね、これからお風呂に入るの。今日はもう出かけられないわ」

それだけ言って、適当に電話を切りました。夜は出歩かないことという忠告を、きちんと守ったわけです。それに、入浴するというのは本当のことでした。

ところが、彼女がお風呂場へ降りているあいだに、また部屋の電話が鳴りました。同室の娘が出てくれましたが、話の様子からして、どうも沢井刑事であるらしいのです。

戻ってきたマコちゃんに、彼女はこう告げました。

「沢井さんがね、急用ができたんだって。すぐ会いたいってよ」

場所は、あの喫茶店だといいます。この辺りでは、夜間に開いているお店はあそこだけですから不自然ではありませんが、あれほど出歩かないように注意していた彼にしては、おかしいなと思いました。

マコちゃんも迷っているようでした。

「ねえ、悪いけど一緒に行ってくれない？」

同室の娘に頼んでみましたが、「やあよ」と笑われます。「自分からお邪魔ムシになりたくないもんね」

そんなことをどうこういっている場合じゃないのに、まったく頼りにならない娘だわ。「一人で行きなさいよ。大丈夫よ、ここんとこ、例の男なんて影も形も見えないじゃない。何も起こりゃしないって」

そこで、マコちゃんは一人で出かけました。あたしを入れたポーチひとつを持って。

ところが、喫茶店のなかに、沢井刑事の姿は見当たらなかったのです。

マコちゃんは、しばらく待ってみました。コーヒーを一杯飲み、彼が現われないので、仕方なしに表に出ました。

あたしは嫌な予感に苛《さいな》まれていました。手遅れだけど、今さらのように気がついたのです。同室の娘は、沢井刑事の声をよく知らないということを。

だから、電話の男が「沢井です」と名乗れば、そのまま信じてしまう……。

マコちゃんは早足で歩き、時々、足を止めました。尾けてくる足音も、ひと呼吸遅れて立ち止まる気配もありませんでしたが、彼女の足は次第に早くなってきました。

マコちゃん、走って。走った方がいい。

角をひとつ折れて、まっすぐ歩く。もうひとつ曲がって坂を上れば、寮の明かりが見える。あたしは彼女の足取りを感じ、歩数を数えていました。

そして——

次の角を曲がったとき、マコちゃんは出し抜けにつんのめるようにして止まりました。

短い悲鳴をあげながら。ポーチが大きく揺れ、あたしは誰かが彼女の腕をつかんだことを知りました！

マコちゃん！

でも、信じられないことに、彼女はこうつぶやきました。「サキちゃん……こんなところで何してるの？　帰ったんじゃなかったの？」

そこにいるのがサキちゃんですって？　サキちゃんがマコちゃんの腕をつかんでるっていうの？

やがて聞こえてきたサキちゃんの声は、冷たく研ぎすまされていました。

「彼に呼ばれれば来るってわけね？」

彼？　彼って？

「どういうこと？」

「とぼけないでよ。あたしに隠れて沢井さんとこそこそ会ってるくせに」

あたしはアッと思いました。

サキちゃんの恋人。忙しい恋人。それが沢井さんなの？

「このごろしょっちゅうデートを断わってくるし、ヘンだと思ったから、彼の様子をうかがってたの。そしたら、あんたなんかと──あんたなんかと──」

「サキちゃん……」

驚いたことに、マコちゃんは謝りました。

「ごめんなさい。でも、あなたの忠告を無視したわけじゃないのよ。あなたに、沢井さんには恋人がいるって聞かされて、あたし、一度はあきらめたの。今だってそうよ。このところ彼と会ってるのは、全然別の理由があるからなの」

サキちゃんは何も言わない。いえ、言えないのだと、あたしは気づきました。

「沢井さんの恋人はサキちゃんの友達だから、あたしが彼を横取りするような真似をしたら、サキちゃんが困るんでしょ？　あたし、ちゃんとそのことは考えて――」

「あんたみたいなバカ、見たことないわ」

サキちゃんは嘲《あざけ》りました。マコちゃん、そうよ、あなたは本当にお人好しだわ！

「あたしが彼の恋人なの。わかった？　あたしがそうなのよ。さっきの呼び出しの電話も、あたしが、お店に居あわせたお客に頼んでかけてもらったのよ」

マコちゃんは声もなく、ただつっ立っています。

「だけど……あなたにはほかに彼がいるじゃない……沢井さんを連れてきた彼が……」

やっとそう言い返すと、サキちゃんは声を張り上げました。

「あんなやつより、沢井さんの方がずっといいわ。あたしもあの時、初めて沢井さんに会ったの。すぐに、彼が好きになったわ。それなのに彼ときたら、あたしよりあんたなんかの方に興味を持ってさ。だからあたし、嘘をついたのよ。あんたには、そうよ、沢井さんには恋人がいるって言った。彼には、あんたには恋人がいるから、電話なんかもらっても迷惑がってるわよって、そう言ってやったの。だからあたしとつきあいなさいって」

　ひどい……と、マコちゃんがつぶやいた。

「なにがひどいのよ。あんたなんか、あたしのお下がりで充分なくせに。あんたみたいなクズに、あたしを出し抜く権利なんかないんだからね！」

　ぱしりという音が響いたかと思うと、マコちゃんは逃げだしました。叩かれたんだ、と気がついて、あたしは恐ろしさと腹立ちでけばがたちそうになってしまった。

　マコちゃんは逃げ、サキちゃんが追ってくる気配がする。マコちゃんが逃げるのは、彼女が怖いからじゃない。ずっと裏切られていたことを悟《さと》ったから。親友のような顔をしていたけれど、サキちゃんがマコちゃんをそばにおいていたのは、いつもいつも優越感を感じるため、マコちゃんを見おろして楽しむためだった、ただそれだけだったと気がついたから。

　サキちゃんは足が早く、何度かマコちゃんをつかまえそうになって、逃げるマコちゃんはどんどん道をそれていく。その方がずっと危ないのよ、どこへ行くのよ、マコちゃん！

　突き飛ばされて坂道から転げ落ち、雑木林のなかで立ち上がり、マコちゃんは必死で逃げました。今やあたしもサキちゃんが怖くなっていた。自惚《うぬぼ》れでこり固まった彼女は、マコちゃんに負けたことを認めたくないばっかりに、彼女をどんなひどい目にだって——殺すことだってやりかねない！

　つかみあいになり、マコちゃんは押し倒され、そのままずるずると落ちて行く。傾斜地だ、危ない！　と思ったと同時に、ポーチが飛んだのか、あたしはぐるぐる回り、地面へどすんと着地した。

　そのとき、まるで気が狂ったかと思うほど激しく、マコちゃんが悲鳴をあげ始めた！

　あたしはポーチから飛び出して、枯れ草の上に落ちていました。遠くから近づいてくる車の音を聞き、やがてヘッドライトがまぶしく射して、あたしの上に広がる雑木林を照らしだしました。いく筋も、いく筋も。その光のなかに、座り込んでいるサキちゃんのシルエットが浮かび上がりました。

　何人かの声が、マコちゃんの名を呼びました。沢井刑事の声も混じってる、と思う間もなく、彼の靴があたしのすぐそばをかすめすぎて、マコちゃんが落ちた方へと走ってゆきました。

　ああ、よかった。マコちゃんの悲鳴が止まったわ。ところが今度は、沢井さんが「デカ長！」と叫ぶじゃありませんか。

「手が、て、手が出てます！」

　誰の手なのよ、と思ったとき、あたしは気がつきました。この傾斜地が、マコちゃんが財布を拾った場所の近くであることに。

そして今度は彼女、あの財布の前の持ち主の死体に出会っちゃったんだわ！

「大雨で地盤がゆるんだから、露出したんでしょう」

臨時の捜査本部になってしまった寮の応接室で、真っ青な顔をしているマコちゃんに、あのがらがら声の刑事さんが説明してくれました。

「しかし、驚きましたな。寮を訪ねていったら、あなたは沢井に呼び出されて出かけているというじゃありませんか。一時はどうなることかと思いました」

「ごめんなさい」

「いやいや。しかし、無事でよかった。沢井は寿命が縮んだんじゃないかねえ」

その沢井さん、外の捜索に借りだされているので、今は照れないですんでいます。

「でも、なぜあたしを訪ねていらしたんですか」

刑事さん、重々しく答えました。

「ネックレスの刻印から、宝石店でそれを買った人物の身元がわかったからですよ」

森元法子をつきとめたのね！

刑事さんは手早くマコちゃんに事情を話した。法子がどんな事件に関わっている女であるかを。

「今現在、彼女は、森元隆一の件だけでなく、もうひとつ別の殺人事件についても、名前があがっているんですよ。どうやら彼女の愛人であるらしい男の妻が殺されましてね。まだ状況証拠しかありませんが、これはどうやら保険金交換殺人である疑いが強くなってきました」

マコちゃんは手で顔を覆いました。

「何をやるかわからない連中ですからね。すぐにあなたを保護した方がいいと判断したわけです。結果的には、まったく別の人から保護したことになったわけだが」

その狂暴だったサキちゃんは今、鎮静剤で眠っています。

「それに、死体を発見することにもなりましたしな」

「やっぱりそれも、保険金殺人に関係があるんでしょうか」

「まず、間違いありません。法子の愛人で共犯者と思われる男は、塚田和彦といいます。あとで写真を見てください。財布を探し回り、あなたを監視していた男と同一人物のはずです」

そこへ、制服の足元を泥だらけにしたおまわりさんが一人、やってきました。

「捜索現場で財布をひとつ発見したんでありますが、これは——」

マコちゃんのものではないかというのです。あたしはここにいるのに。

でも、その財布、あたしとそっくりなの。

「それはサキちゃんのです。彼女が落としたんだわ」マコちゃんは、悲しそうに首を振って答えました。「あたしたち、一緒に上京したとき、お揃いのお財布を買ったんです」

そう。そうだったんです。そういうときもあったんだよね、マコちゃん。

あたしはあたしの双子の財布、マコちゃんの親友の財布を見つめた。泥がついたそれは、あたしとちっとも似てないようにも見えました。

死者の財布

1

今も思い出す。あの激しい破壊音と、骨の砕ける音。

二度と聞きたくない。でも、あの時起こったことのすべては、文字どおり俺の身体にしみついてしまっている。

事故が起こったとき、俺はダッシュボードの物入れのなかに入れられていた。それが、衝突のショックで飛び出し、助手席のシートにしたたか激突してから、床に落ちたのだった。

あとで警官たちがしゃべっているのを聞いたところによると、車のボンネットはぺちゃんこに潰《つぶ》れていたそうだ。まるで、漫画に出てくるブタの鼻のように。

車はマツダのファミリアだった。俺の持ち主の人柄そのまま、地味で堅実で使い勝手のいい車だった。持ち主は大事に乗っていた。すぐにニューモデルを欲しがるような男ではなかったから。

その車を棺桶《かんおけ》に彼が死んでしまったのは、今から一年前のことだ。よりにもよって、立体駐車場のコンクリートの壁面に正面衝突したのである。

居眠り運転だった。深夜のことだった。彼は、恋人の住むアパートから自宅へ帰る途中だったのだ。

(女のところで頑張りすぎたんで、疲れてたんじゃないのかねえ)

現場検証をしながら、中年の警官がそんなことを言っていたのを、俺は覚えている。

そう、確かに彼は頑張っていた。だが、警官が言ったような意味ではない。恋人の部屋にいるあいだじゅう、彼は言葉を尽くして彼女をなだめていたのだ。

(あたしのこと、もう嫌いになったんでしょ？　わかってるのよ。最近、あなたの態度が違ってきてるもの……)

彼女はそんなことを言いつのり、涙ぐみ、俺の持ち主がどんなに否定しても、誓っても、何も聞こえていないようだった。

(考えすぎだよ。ホントだって。俺にはほかに女なんていない。君一人だけなんだ)

俺の持ち主は、彼女と一緒に泣きだしてしまいそうな様子で、懸命に説得していたものだった。

その甲斐《かい》があったのか、彼の恋人は泣くのをやめ、顔を拭い、ちゃんと視線をあわせて彼の顔を見るようになった。だが、（泊まっていこうかな）という彼の言葉には、うんと言ってくれなかった。

（あたし、あなたの言葉に賭けてみるわ。今夜は一人にさせて。よく考えてみるから）

そして、（表は寒いみたいだから）と、彼に熱いコーヒーを一杯飲ませて、家へと帰したのだった。

古風な言い方をするならば、それが今生《こんじょう》の別れだった。

コンクリートの壁に激突する寸前、俺の持ち主は、寝呆《ねぼ》けたような声で、彼女の名前をつぶやいた。俺はそれを覚えている。

俺は覚えている。あたりが空白になるような衝撃の一瞬のあと、シートの上に落ちたとき、すぐそばに彼の腕が投げ出されていたことを、その腕が、生身の人間にはあり得ない角度で肩から突き出していたことを。

そして、俺のシートにくっついている側に、じわじわと生暖かいものが染みてきていることも。

それは、俺の持ち主の血だった。

今も、俺の身体には、その血がしみついて残っている。赤茶色のスエードの革の上に、はっきりと目立つ形をつくって。それを見た人間が、「あら、この染み、心臓の形に似てるわ」と言っていたことも、俺は覚えている。

そして俺は今、残された彼の恋人の元にいる。彼女は俺を持って歩いている。俺が擦り切れてしまうのと、彼女のなかの彼の思い出が薄れてしまうのと、どちらが先だろうかと考えながら。

彼女の名前は、雨宮杏子《あまみやきようこ》。

そして俺は、彼女の恋人だった男の――死者の財布である。

2

「思い過ごしじゃないのかね？」

秋山《あきやま》課長は、まずそう言った。

会社の近くの喫茶店のなかである。杏子が時々昼飯を食べに来る店だ。

だが、今はランチタイムではない。仕事もひけた午後六時すぎ、杏子はわざわざ、直属の上司と一緒にこの店へ足を運んできたのだった。

彼女には、相談ごとがあったのだ。

今、彼女の膝の脇に置かれたハンドバッグのなかにおさまって、俺も初めて、その相談ごとの内容を知った。驚くべきことだった。

秋山課長は五十年配の温和な常識人で、間違っても部下の女性社員に色目を使うような男ではない。思い詰めた顔の杏子と二人、差し向かいで座ることには、かなり抵抗があったようだ。

「社内では話せないことなのかね？」と念を押してから、渋々という感じでやってきた。それだけに、杏子の言葉に、彼は心底仰天しているようだった。飲みかけのお冷やをズボンの膝にこぼしてしまったのか、あわててハンカチを出したりしているようだ。

そして、最初の台詞を吐いたのである。思い過ごしじゃないのか、と。

俺も杏子に同じことを言ってやりたかった。なあ、それは考えすぎだよ。よした方がいい。もう忘れろよ、と。

だが、彼女はいささかの迷いもなく答えた。

「いいえ。思い過ごしじゃありません」

「証拠はあるの？」と、秋山課長は訊いた。心配そうな口調になっている。

「相模《さがみ》君と、その――なんといったっけ――」

「塚田です、塚田和彦」

「そうそう、そうだ。彼とその塚田和彦とが知り合いだったというだけで、すぐにそんな結論に飛び付くなんて危険じゃないだろうかね」

相模佳夫《よしお》というのが、死んでしまった俺の元持ち主の名前である。彼と杏子は社内恋愛で、二人の仲は、上司である秋山課長にもよく知られていた。

「わたしもさんざん考えてみたんです。夜も寝ないで。それで、どうしても割り切れなくて、放っておけない気持ちになったんです」

杏子の声は小さかったが、強い芯が通っていた。

確かに、彼女はこのところ、夜きちんと眠っていない。何度も寝返りをうち、そのたびにベッドカバーがかさこそと音をたてていたのを、俺は知っている。

だが、彼女がこんなことを考えていたのだとは思いもしなかった。

塚田和彦とは、今世間でいちばん有名な男の名前である。ワイドショー番組への登場回数は、一時の松田聖子《まつだせいこ》よりも多いかもしれない。

三十六歳にして、高級レストランの経営者、スポーツマンタイプの長身。日焼けした顔。愛車はトヨタのセルシオで、流行《はや》りもの好きではあるが、やたらに外車には手を出さないんだというところで、ミーハーな若者とは一線を画しているつもりらしい。

だが、彼が有名になったのは、善行のためではない。悲劇のためでもない。彼は噂の容疑者なのだ。

塚田和彦は、森元法子という愛人と共謀して、保険金目当てにそれぞれの配偶者を殺したとして疑いをかけられている男なのである。証拠がないので、あくまで「疑いをかける」段階でしかないのだが、世間は今、この事件の噂でもちきりだ。

ここで少し、一連の事件の経過を説明しておこう。全体は四つの部分に分かれている——というか、四つの死体が並んでいると言ったほうがいい。

1　塚田和彦の前妻
　太田逸子の事件

逸子は昨年の十一月、当時住んでいた札幌《さっぽろ》市の郊外の路上で轢き逃げに遭い、死亡した。犯人はまだ逮捕されていない。この事件は、当初はまったく無関係の独立した事件だと考えられていたが、逸子の葬儀に森元法子が出席していることが、葬儀の模様を記録したビデオテープにより確認されてから、一挙に注目されるようになった。また、逸子の変死から一カ月後に、森元法子の夫が殺されているという点も、不審に思われ、この事実から逸子が別れた夫の企てている保険金殺人に気づいたため、口を封じられたのではないかという説も出てきている。逸子の死亡当時の塚田和彦と森元法子のアリバイははっきりしていない。

2　森元法子の夫
　森元隆一の事件

昨年十二月十五日深夜、東京都足立《あだち》区の公園造成地のはずれの路上で、やはり轢き逃げに遭い、死亡。推定死亡時刻は、十五日午後十一時から十六日午前二時ごろまでのあいだ。このとき、法子は友人宅におり、アリバイが成立。塚田のアリバイは未確認で、本人もはっきりしない。
隆一の死亡により、法子は八千万円の保険金を取得。

3　塚田和彦の妻
　　塚田早苗の事件
　今年の八月二十六日夜、羽田空港近くの倉庫の駐車場で死体となって発見される。撲殺。前日の夜に何者かによって電話で呼び出され、すぐに殺害されたものであるらしい。推定死亡時刻は二十五日の夕方六時ごろから夜十時ごろまでのあいだ。
　塚田和彦は、二十五日朝から二十六日の夜、妻の死体が発見されたと報らされるまで、「ジュヌビエーブ」の共同経営者である畠中氏と共に伊豆へ釣り旅行に出かけていた。アリバイ成立。法子のアリバイははっきりしない。
　早苗の死亡により、塚田和彦は約一億円の生命保険金を受け取る予定。

4　森元隆一の行きつけのスナックホステス
　　葛西路子の事件
　今年の九月末、都下の雑木林のなかで遺体発見。絞殺。殺害されたのは、今年の四月中旬と思われる。正確な推定死亡時刻を割り出すことができないので、この件についてはアリバイ捜査は意味がない。
　なお、この葛西路子は、森元法子のものである、エメラルドのネックレスを持っていたということが確認されている。

彼女は何故《なぜ》殺されたのか？

マスコミは断定している。この女はなにか事件の鍵となるものを握っており、それをネタに法子たちを強請ろうとしたために殺されたのである――と。エメラルドのネックレスは、彼女が法子からせしめた戦利品であろう――と。

警察だって、できるものならそう断定したいだろう。しかし、ここにも証拠はないのである。

（ええ、あの女性のことなら知っていました。主人にお線香をあげに、自宅に来てくれたこともあります。ネックレスですか？　あれは、わたしが彼女に買ってもらったんです。主人を殺した犯人は捕まらないし、わたしは変な疑いをかけられるしで、保険金の支払いも遅れるし、お金がなくて困っていたんで、彼女に頼んでみたら、快く買い取ってくれたんですよ）

森元法子はそう答え、しおらしく目を伏せたりしているのである。塚田和彦にいたっては、取材に殺到したレポーターたちを集め、「怒りの釈明」とやらをぶちかました挙句《あげく》、マスコミ論まで熱弁する始末だ。捜査当局こそ、いい面の皮である。

説明が長くなった。とにかく、塚田和彦という名前は、今現在、それほどにブラックなインパクトを持っているのだ。

その塚田と、亡くなった俺の元持ち主が知り合いだった——ということからして、俺には大きな驚きだった。大学時代に、ワンダーフォーゲル部の先輩後輩だったというのである。

杏子は、相模佳夫が死んだあと、彼の両親から、いくつか形見わけをしてもらった。俺もそのひとつだが、そのなかに、彼の大学時代の写真を集めたアルバムが一冊含まれていたのである。

杏子は今でも、それを眺めていることがある。そしてある時、一緒に写っているワンゲル部のメンバーのなかに、塚田和彦がいることを発見したというわけだった。

秋山課長はコーヒーをすすると、カップを置いた。がちゃんと不器用な音がした。

「しかし、大学を卒業してからは、もう行き来はなかったんじゃないかねえ。君は、その塚田という人に会ったことがあるの？」

杏子は否定した。「いいえ、ありません」

そうだろう。俺は相模佳夫の軍資金を抱いて一緒に行動していたのだから、彼の交友関係もかなり的確につかんでいたつもりだ。その俺にも覚えがないのだから。

「じゃあ、やっぱり考えすぎじゃないかね？　雨宮君、気持ちはわかるが、相模君は事故で亡くなったんだよ。それを認めないと、いつまでたっても立ち直ることができないよ」

杏子は黙っているようだった。俺は、膝の上で指を折ったり広げたりしている彼女の姿を思い浮かべた。

癖なのだ。生前の佳夫を、存在していない「ほかの女」のことでなじるときも、いつもそうしていた。まるで、そうやって指を動かしながら、そこから目に見えない糸を繰りだして、佳夫をがんじがらめにしようとしているかのように。

「わたし――彼は事故で死んだんじゃないと思います」

またか……と思った。彼の死から一年、何度その台詞を聞かされたことか。

「あの人、とっても慎重な人でした。脇見運転や居眠り運転をするはずがありません。それに、わたしのアパートを出る前に、濃いブラックコーヒーを飲んでいったんですよ。眠り込むはずがないです」

「だから何だね？」

慰めるような口調で、秋山課長は訊いた。

「だから、あれは事故じゃない。相模君は誰かに殺された――そう言うんだね？　しかも、それが塚田和彦である、と」

「ええ、そうです」

「なぜ、塚田和彦と結びつくのかな？　彼は確かに今、非常に大きな疑いをかけられている人物だよ。でも、それは保険金がらみの殺人事件だ。相模君の場合とは違う。塚田和彦が、大学時代の後輩を殺したところで何の得になる？　そんなことをする必要はないじゃないか」

そうだよ、杏子。もうこんな話はやめよう。そして、家へ帰ろう。な？

彼女が俺を形見わけとしてもらってくれたときも、俺は不安で仕方がなかった。彼女が精神のバランスを崩しているように感じられたからだ。

俺には相模佳夫の流した血がしみこんでいる。消えないしみとなって、彼が俺のなかにいるのだ。

だが、実際問題として、いくら恋人の形見だといっても、血のついた財布なんて、あまり気味のいいものじゃない。俺はスエードで出来ているから、水気をはじくことができない。しみ込んだ血の量は結構多かった。正直、最初のうち、俺は少しばかりイヤな臭《にお》いを漂わせていたはずだった。

彼女はそんな俺を欲しがった。

俺は嫌だった。杏子、そんなことをしちゃいけないよ、と思った。俺を捨てた方がいい。俺はもうこの世にいない佳夫の切れっぱしなんだ。切れっぱしでしかないんだ。この切れっぱしからは、もう何も生まれることはない。育つことはない。

そして、ただ思い出として保存しておくには、彼の血を吸いこんだ俺は、あまりに生々《なまなま》しすぎる。

だが、彼女は俺を捨てない。さすがに財布として使ってはいないが、いつでも持って歩いている。片時も手放すことがないのだ。

「課長」と、杏子は低く呼びかけた。「うちは自動車部品のメーカーでしょう？」

秋山課長は辛抱強く言った。「そうだよ。それがどうしたね？」

「彼が死んだのは、ちょうど、塚田和彦の最初の奥さんが轢き逃げされて亡くなったころです。去年の十一月だもの」

課長は黙ってしまった。

「わたし、考えたんです。佳夫さんは、車の車種とか年式とかにはそれほど詳しくなかったけど、メカニックなことには強かったわ。人からなにか訊かれたら、すぐに教えることができたし、わからないことは調べてあげるくらい面倒見もよかった。そういう人でした」

「何が言いたいんだね？」

杏子はぼそぼそと続けた。「轢き逃げって、意外に検挙率が高いそうなんです。今は鑑識の技術がすごく発達してるから、小さな塗料の欠片からでも車種を特定できる……。でも、それならそれで対抗手段だってあるでしょう？　バンパーだけ別の車種のを持ってきて取り付けるとか塗料をかけかえちゃうとか」

課長は大きな咳払いをした。

「君は、相模君が塚田和彦に、奥さんを轢き逃げに見せかけて殺して、しかも警察に逮捕されないためにはどうすればいいかアドバイスしてやったとでも言いたいのかね？」

杏子は素早く言った。「もちろん、佳夫さんはそんな目的のことなんか知らなかったと思います。その時はね。知ってたら教えるはずがないもの。利用されたんです。きっと」

そして、塚田の前妻が殺されてから、ようやくそれに気がついたから、口をふさがれてしまったのだ――杏子はそう言いたいのだ。

俺は、身体のなかにしみ込んでいる佳夫の血を重苦しく感じた。なあ、なんで死んじまったんだよ。彼女を残してさ。

秋山課長は、静かに諭《さと》すように言った。

「ねえ、雨宮君。少し休暇をとりなさい。君の考えていることは、私には妄想としか思えない。あんまり思い詰めていたんで、空想と現実の境目がわからなくなってきているんだよ。悪いことは言わない。休暇をとって、ゆっくり旅行にでも行ってきなさい」

杏子は押し黙っていた。困り果てた課長が先に席を立ってしまうと、バッグを開いて、そっと俺に触れた。

その指が冷たかった。死人のそれのように。

3

翌日から一週間、杏子は有給休暇をとった。課長の強い勧めに押し切られたという格好だった。

休暇の最初の日、彼女は相模佳夫の墓参りに出かけた。いつも月命日には欠かさず参っているのだが、それも、俺には不安の材料だった。

優しい気持ちは素晴らしいと思う。だが、彼はもう死んでしまったのだし、彼女は生きているのだ。早く新しい人生を見つけるべきなのに、彼女は墓場でしゃがみこみ、応えてくれるあてのない死んだ男に話しかけることで、自分を少しずつ削ってしまっている。

杏子はいつもよりも長く、墓地にいた。俺は彼女の肩からぶらさがっているバッグのなかで、吹き抜けてゆく北風の音を聞いていた。あるいはそれは、杏子のなかで、冷えて縮こまった魂が泣いている音だったのかもしれない。

やがて、彼女は小さくつぶやいた。

「警察」と。

その夜、アパートに戻って、またベッドカバーの下で寝返りをうちながら、もう一度同じことを言った。

「警察……」

もともと、杏子には物事を思い詰めて考える性癖があった。

いつごろからそんなふうになったのかはわからない。だが、佳夫と恋愛関係に入る以前からも、職場のなかでは、ある種の有名人だった。神経質で潔癖で、少しばかり興奮しやすいということで。

佳夫が職場の同僚たちと飲んでいるとき、杏子の話題が出たことがある。いい娘だよね、仕事もできるし――と言いながらも、同僚たちはあまり杏子に良い感情を抱いていないようだった。

「なんかこう――ちょっとさ、触るとビリッときそうな感じがするんだよな」

伝票にハンコがひとつ押してなかったという程度のことでも、ひどく気分を害して怒ることがある。わたしの仕事を邪魔しようとして、わざとハンコを押さなかったんでしょ、などと言うのだ。泣いたりわめいたりするわけではなく、声は小さいが、明らかに激高しており、それを内側に密封しているという様子で、身体を震わせながら。

「ちょっとたつと、もう何もなかったみたいにニコニコしてるし、まあ、普段はおとなしい娘だしね。嫌いじゃないぜ。でも、なんか面倒臭そうなんだよなあ」

ところが、面白いことに、佳夫が杏子に興味を抱いたのは、そして惹《ひ》きつけられていったのは、彼女のこんな不安定さのためだったようだ。一人で放っておけない、という気持ちになったのだろう。

実際、相模佳夫は杏子にとって保護者に近い存在だったのだ。杏子は彼に頼りきっていたし、彼の翼の下に身を隠すことができるようになってからは、あまり激しく感情を高ぶらせることもなくなってきた。

その代わり、嫉妬はひどかった。

焼きもちをやくのは自分に自信がないからであり、不安であるからだろう。杏子は身内に不安を純粋培養しているような女だから、始終《しじゅう》心配ばかりしていた。佳夫の動向を気にし、彼が廊下でちょっとほかの女子社員と談笑していたというだけで、ひどく泣いて責めることもあった。

(ほかに好きな人ができたんでしょ?)というのが決まり文句で、そのあとには、(あたしのことなんか、もうどうでもいいのね)と続く。こうなるともう、言いたいことを全部言わせ(いつも同じ台詞の繰り返しなのだが)、気が済むようにしてやらないと、何一つ建設的なことなどできなくなるのだった。

佳夫は実に辛抱強く、そんな彼女の相手になってやっていた。彼も地味な男だったし、特に強く異性を惹きつける吸引力を備えていたとは思えない。だからこそ、杏子に必要とされることが、彼にとっても快感だったのかもしれない。

それに、妙に思い詰めておかしなことを言い出さないかぎりは、杏子は実に気持ちのこまやかな尽くし型の女性だった。料理も上手だし、佳夫の好みもすぐに覚えたようだ。

小さなことにも、いつも神経を使っていた。たとえば、彼女は頭痛持ちで、常用している鎮痛剤があるのだが、その薬が佳夫には合わないとわかると、彼がいいと言う別のメーカーのものも、いつも揃えておくようにしていたくらいだ。

佳夫も佳夫で、年齢の割りには古くさい、ユニークなところを持ち合わせている男だった。

ある時、杏子が夜になってから爪を切ろうとしたのを、やんわり咎《とが》めてやめさせたことがある。縁起が悪いから、というのだ。杏子は最初は笑ったが、真面目な態度でちゃんと承知し、以後は夜には爪を切らなくなった。

ほかにもいろいろある。たとえば、壁に画鋲《がびょう》や釘を打つときには、「鬼門だったらごめんなさい」と声をかけてから打つとか、逆さ水（水に湯を足して温度を加減すること）をしてはいけないとか、急須《きゅうす》の蓋《ふた》をしないで茶わんにお茶を注《つ》いではいけないとか――

今思えば、佳夫はそんな迷信じみたことを言って、結構楽しんでいたのだろう。杏子はその手のことにまったく疎《うと》かったので、教える楽しみを味わうことができたのだ。それに杏子なら、「オジンくさい」と馬鹿にせずに、大真面目で聞き、実行してくれる。

そう、それでひとつ、思い出したことがある。

俺は相模佳夫の血を抱いている財布だが、別のものも一緒に持っている。ただ、それがいったい何なのか、俺にはわからない。ずっと謎のままなのだった。

佳夫が亡くなる二、三日前のことだったと思う。外回りで下町の方を歩き、地下鉄の人《にん》形《ぎょう》町《ちょう》駅の近くにある喫茶店に入ったときのことだ。

席に着いたとき、佳夫はそこで、前の客の落とし物を拾ったらしい。らしいとしか言えないのは、俺は彼の上着の内ポケットのなかにおさまっていたので、見ることはできなかったからだ。

佳夫はそれを拾ったとき、ちょっと考え込んでいた。

「あれ、どうしようかな」と、小声でつぶやくことさえした。

だが、とりあえずはそのまま、その拾ったものをテーブルの端に置いたらしい。これといって変わったことはせずに静かにコーヒーを飲んでいた。と、そこへポケットベルが鳴った。彼は急いで電話をかけにゆき、すぐに戻ってくると、あわてた様子で店を出る支度をした。急用で呼ばれているのだろう。

そして、またちょっと考えた。手をとめて、テーブルを見おろしているようだった。

「まあいいや。今度、折りを見て返しておいてあげよう」

そうつぶやいて、その拾ったものを、俺の札入れの部分へとしまいこんだのだ。

それは白い紙で包まれていた。札を小さく折り畳み、それを半紙でくるんだもののようにも思えた。だが、何なのかしかとはわからない。

俺はそのままずっと、そのわけのわからないものを持っていた。あの事故の夜、佳夫が杏子のアパートへ行ったときも、そうだった。どうやら佳夫は、それを俺のなかに入れてあることを忘れてしまっていたらしい。

彼が風呂に入っているあいだ、杏子が上着にブラシをかけ、ついでに俺の中身をちらりと点検した。結婚しているわけでもないのに、それはちょっとやりすぎじゃないかという向きもあるだろうが、杏子としては悪気があってやっていることではなかったのだ。彼の懐ろ具合を知っておけば、無理をさせることもないという配慮をしていたつもりだったのである。

彼女は、俺のなかにおさまっている、例の拾い物を見つけた。それを取り出さず、黙ってしばらく見つめて、俺を閉じ、また元のところに返した。それだけだ。

お馴染《なじ》みの（ほかに好きな人が――）という繰り言が始まったのは、真夜中近くのことだったろうと思う。そのころ、二人は顔をあわせればそんな話をしていた。さすがに佳夫も疲れてきていて、口論めいたことになる時もあった。

杏子の嫉妬には、毒はなかったけれど、どこかひどく一途《いちず》なところがあった。彼女は常に「捨てられる」ことを恐れており、佳夫をほかの女性にさらわれてしまうかもしれないと考えて、神経をぴりぴりさせていたのだ。たっぷり静電気を帯びたドアのノブのように、下手につかむと、青い火花がパッと飛び散る。

そしてその夜、杏子の元から帰る途中で、佳夫は死んだ。

彼としても、思いがけない無念の死だったろう。杏子のことを気にかけて、死にきれない思いだったはずだ。彼女は彼を必要としていたのだから。

俺が杏子の手に渡ってからも、札入れの部分には、あのなんだかわからないものが入れられたままになっている。彼女はそれを取り出さない。捨ててしまわない。かといって、それを大事にしている様子もない。忘れているのかもしれなかった。

不思議だった。これはいったい何だろう？

俺には、自分が飲み込んでいるものを見る力はないし、感じとるといっても、ただ小さくて四角くて薄べったいだけのものだから、見当がつかないのだ。佳夫は（折りを見て返しておいてあげよう）と言っていたのだから、借り物なのだろうか……。

今、闇のなかで、杏子がまた寝返りを打った。夢をみているのか。それともまた眠れないのか。

「警察」と、小さくつぶやいている。

それもいいがね、杏子。とにかく今夜は眠ることだよ。

杏子は（佳夫さん）と、寝言を言った。

4

驚いたことに、警察の捜査担当者は、時間を割《さ》いて会ってくれた。

翌日のことである。杏子は、塚田早苗の殺人事件の捜査本部が置かれている警察署へと、わざわざ出かけて行ったのだ。いったい何をどういうふうに説明するつもりなのだろうと、俺は心配でたまらなかったが、警察は案外わかりが早かった。

いや、それだけ焦っていて、藁《わら》にもすがりたい気分でいるのかもしれないが。

静かな場所に通されて、彼女は椅子に腰をおろした。またバッグのなかに入っている俺には、周囲の様子がわからない。まさか取調室じゃないだろうな……。

応対した刑事は二人。一人は年配者で、一人は若いようだ。年配者の方がおもに聞き手となり、若い方は時々質問をはさむだけだった。

二人とも、こわもての感じではなかった。杏子のために、俺はそれを喜んだ。彼女はとても敏感で、たくさんの眠れない夜に発生した、たくさんの不幸の静電気を帯びているから、優しく扱ってくれないと、相手も自分も傷つけることになってしまう。

「お話はよくわかりました」

と、年嵩《としかさ》の刑事が言った。本当かい？　と、俺は思った。

まともな刑事なら、杏子の話など真に受けたりしないだろう。だいたい、佳夫と塚田和彦が、佳夫の死の直前まで交流を持っていたのかどうか——それさえわかっていないのだ。全部憶測なのだ。妄想に近いものなのだ。

「雨宮さん」と、刑事は切りだした。煙草に火をつけたのか、ライターをつける音がした。百円ライターだろう。つきが悪くて、話はそこでしばらく中断してしまった。

杏子は静かにしている。彼女がどんな気持ちでいるのか想像すると、俺はやりきれなくなってきた。

「今ここでお話しになったことは、全部あなたがご自分で考えられたことですか？」

杏子は「はい」と答えた。少し、語尾が震えていた。

「なるほど」と言って、刑事は煙草を吸っているようだ。

若い方が割り込んだ。「考えすぎだとは思いませんか？」

「わかりません」と、杏子は小さく答えた。

「もうなんだかわからなくなってきました」

今度は刑事たちの方が黙ってしまった。

「ただ、佳夫さんは居眠り運転なんかする人じゃありませんでした」

「ついうっかりということはあるもんで――」と、若い刑事が言いかけたのを、年嵩の方がさえぎったようだ。杏子は続けた。

「とっても几帳面で、慎重な性格の人でした。外回りの仕事でしたから、昼間はいつも運転しています。だから、風邪を引いたときでも、薬を飲まないでいたくらいです。眠くなるからって」

確かにそうだ。佳夫は少し臆病なくらい、そういうことに気を配って生きていた男ではあった。

「それに、衝突現場は見通しが悪くて危険だってことも、彼はよくわかってました。わたしのアパートに来るとき、いつも通る道でしたから。わたしも助手席に乗せてもらってそこを通りかかることがあったし、そんなときはいつも、〈危ない場所に駐車場があるね〉って話し合っていたんです」

「しかしね、仮に百歩譲って、塚田和彦があなたの彼を殺したとしても」と、若い刑事が言う。

「どんな方法をとったんでしょうね。相模佳夫さんは、刺し殺されたり突き落とされたりしたわけじゃないんです。車の運転ミスなんですよ。塚田はどうやって、彼にミスをさせたんでしょうね」

「わたしには、わかりません……」

杏子の声に、日頃彼女の声を聞き慣れているものにしか察することができない程度に、苛立ちの色が混じってきた。

「そんなこと、わたしにはわかりません。わたしはそんなことの専門家じゃないもの。わかってるのは、あの人が塚田和彦に殺されたってことだけです。だって佳夫さんは、居眠り運転なんかする人じゃなかった」

連禱《れんとう》のように、同じ話の繰り返しになってきた。頃合いを心得ているのか、年嵩の刑事が穏やかに言った。

「よく、わかりました」

俺はほっとした。この刑事、杏子のような女性を扱い慣れているのかもしれない。妙に機嫌をとるような口調ではなく、あくまで真面目で誠実な態度を保ってくれている。

「少し調べてみましょう。ひょっとすると手がかりになるかもしれません」

杏子は礼を言い、持参してきた佳夫の写真を何枚か、刑事に渡した。塚田和彦と一緒に写っているものだ。

アパートへの帰り道、杏子はひどくゆっくり歩き、たびたび足を止めた。ブティックのウインドウをのぞいたり、本の立ち読みをしているわけではなさそうだ。ぼんやり考え込みながら歩いているのだろう。

ある交差点では、不意に声を出して、「殺されちゃったんだわ」とつぶやいた。

周囲の人間たちが好奇の視線をぶつけてきているであろうことを想像すると、俺は痛ましい気がしてきた。

こんなことは、初めてではない。佳夫の死後、彼女がずっと、正気と狂気のあいだに渡されている細い綱の上を、時々よろめいたり、片足を離してしまったりしながら歩いてきたことを、俺は知っている。

二カ月ほど前には、駅で電車を待っているとき、突然ホームに座り込み、泣きだしたことがあった。ぼんやりしていることが多いからか、これまでに二度、デパートやスーパーで万引きの疑いをかけられたこともある。商品を手にしたまま、レジを通すことを忘れてフラフラ歩いていってしまうからだ。

ようやくアパートにたどりつくと、杏子は着替えもせず、俺を入れたバッグをテーブルに載せると、ベッドに倒れこんだようだった。やがて、寝息が聞こえてきた。

あまり安らかな眠りではないようだったが。

5

「提案があるんです。いや、お願いと言った方が適切ですかな」

数日後のことである。あの刑事が二人、杏子のアパートまでやってくると、そんなふうに切りだしてきたのだった。

今日もまた、しゃべり役を務めているのは年配の刑事の方だった。若い刑事は、言葉を添えることもなくただ座っている。

「塚田和彦に会ってみていただきたいんですよ。できませんか?」

意外な展開だった。

「わたしがあの人にお会いしてどうなるんですか?」

「彼の反応を見てみたいんです」刑事は率直に言った。「彼は非常に芝居上手というか、まあ、あなたもテレビなどでご存じでしょうが、ああいう人間です。めったなことでは本音を顔に出さないでしょう。しかし、いい機会です。ぜひ一度彼と顔をあわせてくださいませんか。お膳立《ぜんだ》ては我々の方でします」

杏子は弱々しい声を出した。「でも、どういう口実で会うんですか？」

「口実は必要ありません」と、刑事は安心させるように言った。「彼と森元法子は、今、ふたつの事件の参考人として、我々から事情をきかれている身の上です。次に彼らを呼び出すときに、あなたが居合わせてくだされぱいい。お願いできませんか」

杏子は、かなり長いこと返事をしなかった。また放心してしまっているのではないかと、俺は心配した。

と、彼女が立ち上がる気配がした。

「すみません。ちょっとごめんなさい」

洗面所へ立ってゆく。このごろ、こんなことも時々あるのだ。心の失調は、身体の方にも影響するものであるらしい。

彼女が行ってしまうと、若い刑事が、口の片側だけでしゃべっているようなくぐもった声で言った。

「デカ長、本気なんですか？」

「本気だとも」と、年嵩の方は煙草に火をつける。

「だけど、彼女の言い分をすべて信じてるわけじゃないんでしょう？　どう考えたって、筋が通ってませんよ。いくら調べても、相模佳夫と塚田和彦が、大学卒業後もつながりを持っていたなんて証拠は出てこないじゃないですか」

「いくら調べても、というのはオーバーだな。まだたった二、三日のことじゃないか」

若い方は鼻白んだ。「禁煙されるはずじゃなかったんですか。また入院する羽目になりますよ」

ことさらにふうっと音をたてて、年嵩の刑事は煙を吐いたようだ。なかなか食えない男のようである。

杏子が戻ってきた。椅子を引いてそっと腰をおろす。

「大丈夫ですか」

「はい。すみません。時々、めまいがすることがあって……」

夜、ちゃんと眠っていないからだ。

「わたし、やってみます」と、杏子は答えた。

「怖いけど、直接対決してみます」

刑事は喜んだ。子供をあやしているような口調で、杏子の協力に感謝した。

「詳しいことは、追って連絡させてもらいます。あ、ところで雨宮さん、もうひとつ図々しいお願いがあるんですが」

「なんでしょう」

「さっきから、どうも頭が痛むんです。鎮痛剤の買い置きがありましたら、一服いただけませんかね？」

杏子は承知して、救急箱が置いてある奥の部屋へと行った。また、若い刑事がささやいた。

「嘘ばっかり。デカ長は、二日酔いのとき以外、頭が痛いことなんかないじゃありませんか」

「それと、おまえが言うことをきかないときだけだな」

杏子は救急箱をそっくり持って戻ってきたようで、テーブルの上に箱を置く音が聞こえた。蓋を開ける。

「わたしは頭痛持ちで——薬はいろいろ買い揃えてあるんです。どれがよろしいですか」

年嵩の刑事はバファリンを選んだ。杏子は彼に、微温湯をつくってやった。

「薬はたっぷりの微温湯で飲むのがいちばんなんですよ」

そう言ったとき、生前の佳夫の世話をまめまめしく焼いていたころの杏子が、ちょっと戻ってきたようだった。

その日の夕方、杏子は外出をした。どこへ行くのかと思っていると、電車を乗り継ぎ、都心へ出てきたようだった。

ばかに騒がしいな——と思っていると、辺りに大勢いるらしい人の会話の断片が聞こえてきた。

「ジュヌビエーブもとんだ繁盛だな」

そう。ここは塚田和彦の店だった。

皮肉なことに、彼が殺人の疑いをかけられたことで、かえって店は押すな押すなの客の入りだというのだ。店の周囲をかこんでいるのは、どうやら取材記者やカメラマン、テレビのレポーターの面々らしい。

「ジュヌビエーブ」は、塚田一人の店ではない。共同経営者がいる。この人もほくほく顔でいるかと思ったら、案外そうでもないようだ。二度ほど、迷惑だから店の前の道を開けてくれと怒鳴る声が聞こえた。

杏子は三十分ほど待たされたあと、窓際の席につき、コーヒーと軽い食事をオーダーした。料理が運ばれてきたとき、店の出入口でひときわ大きな騒ぎが起こった。

塚田和彦がやってきたらしい。

「僕自身、何がなんだかわからないんですよ。僕がいちばん、早苗を殺した犯人が誰なのかを知りたいんです。当然じゃないですか」

悪くない声だ。話し方も歯切れがいい。こういうきびきびしたタイプの男は近ごろめずらしいから、それだけでも女性にはもてるかもしれない。

「保険金など、もらおうと思っていません。早苗と一緒に保険に入ったのは、新婚旅行に行くとき、そうしておいた方が安心だと思ったからです。それだけなんですよ」

もう帰ってください。あんたたちは人をどこまで苦しめれば気が済むんだ、と怒鳴って、塚田和彦は効果的に店のドアを閉め切った。レポーターのわめき声がくぐもったものに変わった。

そのとき、杏子の手からスプーンかフォークが落ちたのだろう。テーブルになにかが当たる音が響いた。

彼女はぽつんとつぶやいた。「殺されちゃったのよ」

周囲のテーブルの客が、ちらちらと杏子を気にしているらしい。女性客の（なあに、気味が悪いわね）という囁《ささや》きが聞こえる。

杏子は唐突に立ち上がった。俺を入れたバッグを席に残したまま、足音が遠ざかってゆく。俺は驚いたが、杏子は足を止めようともしないようだ。

「もしもし？」

と、低い男の声が呼びかけた。ひと呼吸おいて、俺の入ったバッグが持ちあげられ、運ばれてゆくのを感じた。

「忘れ物ですよ」

さっきの男の声だ。バッグを持って杏子を追いかけてきてくれたらしい。

だが杏子は返事をしない。ただぼうっと立っているだけなのかもしれない。

「気分でも悪いんですか」

低い声の男はそう訊いた。杏子はまたつぶやいた。

「殺されちゃったんです……」

男が何を言っても、近づいてきた店員が代金の支払いを求めても、杏子はただそう繰り返すだけだった。男の手からバッグを受け取ろうともしない。

結局、声をかけてくれた男が親切にも代金を払い、杏子を連れて外に出てくれた。彼が「お宅はどちらですか？」と尋ねても、杏子はやはり返事をしない。見えないのではっきりとはわからないが、杏子はこの見知らぬ男に、半分もたれかかるようにして歩いているようだった。

「しっかりしなさい。歩けますか」と、時々男が声をかけている。そのうち、どこか戸外のベンチに彼女を腰掛けさせてくれた。

「お宅はどちらです？　具合が良くないようだから、お送りしましょう」

低い声の男がそう言っても、杏子は黙ったままだ。困り果てたのか、男は「ちょっと失礼」と声をかけてから、彼女のバッグを開けた。

バッグの中身を探る手つきは、なんだかひどく物慣れているように感じられた。必要以上にひっかきまわさず、すぐに、内ポケットのなかに入っていた杏子の社員証と運転免許証を見つけた。

そのまま、彼はちょっと手をとめていた。なにかほかにも見つけたものがあるらしい。

「自宅は椎名町《しいなまち》ですね」

バッグを閉じながら、男は優しく言い聞かせるような声を出した。

「ここにいてください。車をつかまえてきますからね。いいですか、動いちゃいけませんよ」

男はタクシーで、杏子をアパートまで送り届けてくれた。彼女が部屋のなかに落ち着き、男が去ってしまってから、やっと俺も安堵した。親切そうな男ではあったが、なにか下心を抱いていないとは言い切れないからだ。

杏子は部屋のなかに座り込んだまま、動きもしなかった。夜になってあの刑事から電話がかかってきて、やっと立ち上がることを思い出したようだった。

6

刑事との約束の日、杏子は朝からひどく様子がおかしかった。

警察に着いたとき、まずタクシーの料金を払い忘れそうになった。建物のなかに入るとき、階段で足を踏み違えて転げ落ちそうになり、張り番に立っていた警官に抱き留めてもらった。長い廊下を歩いているときも、自然に手がゆるんでバッグを床に落とし、拾いもせずに行きすぎてしまって、通りかかった婦人警官に呼び止められたほどだった。

それでも、約束の午後二時ちょうどに、杏子は指定された廊下の端に立った。

遠くでドアの開く音が聞こえ、三、四人の足音が入り乱れて近づいてくる。話し声もする。

「本当に、いい加減にしてほしいですよ。僕がいったい何をしたって言うんです」

塚田和彦の声だった。

「まあ、そうカリカリしなさんなよ」と笑っているのは、あの年嵩の刑事だ。

と、そのとき、ほんの少しわざとらしく明るい声を出して、刑事は杏子に呼びかけてきた。

「おや、雨宮さん、こんにちは。調書はもう取り終わりましたか」

杏子はただ、つっ立っている。刑事は陽気に続けた。

「そうそう、塚田さん、こちらの女性は雨宮さんといいましてね。あなたのお知り合いの婚約者だった女性なんですよ」

「僕の知り合い?」塚田の声が険しくなった。

「誰かなあ」

「大学の後輩です」と、刑事は続けた。「相模佳夫さんですよ。覚えておられますか」

俺はバッグのなかで、塚田の答えを待ち受けた。スエードがけば立つような気がした。しみ込んでいる佳夫の血が、まだ体温を持っているかのように熱く感じられた。

塚田は答えた。「さあ……記憶にないなあ。そんな後輩、いたかな」

不自然な口調ではなかった。戸惑っているという様子だった。ほっとしたような、がっかりしたような、不思議な思いにとらわれて、俺は彼の顔を思い浮かべた。

そのとき、杏子がまたつぶやいた。

「殺されちゃったの」

年嵩の刑事は、「お引き止めしてすみませんでしたな。おい、塚田さんを下までお送りしろ」と、部下に命じると、ゆっくりと杏子に近づいてきた。

「お嬢さん」と、初めて使う呼び方で、杏子を呼んだ。「塚田は相模さんを覚えてさえいないようですよ」

杏子の身体が、少しずつ、少しずつ、前後に揺れ始めている。

「塚田は、相模さんの死には関係がありません。それはあなたの妄想だ。だがね、雨宮さん。あなたは、どうしてそんな妄想を抱くようになったんでしょうな？　塚田の名前が殺人容疑者として取り沙汰《とざた》されるようになったとき、どうしてあなたは、飛び付くように、彼を架空の犯人に仕立ててあげてしまったんでしょうね？」

ほかの刑事がそばに寄ってくる気配がする。

「雨宮さん。あなたが相模さんを殺したんですね」

杏子はバッグを取り落とした。


「で、彼女は話をしてるんですか」

そう質問したのは、「ジュヌビエーブ」で会った、あの低い声の男だった。

驚きである。彼と年嵩の刑事は知り合いだったのだ。それだけではない。低い声の男こそ、塚田和彦と森元法子のつながりを示唆する唯一の証拠である、あのビデオテープを発見した私立探偵だった。

「うわごとみたいに、いろいろ言ってるよ」

煙草の煙を吐きながら、年嵩の刑事はつぶやいた。テーブルに置かれた俺のところまで、彼の呼気がふきつけてきた。

「なぜ殺したんだろう？」

「もともと、精神に不安定なところのある女なんだよ。職場でも有名だった。相模佳夫はそれを承知でつきあっていたんだ。保護本能をそそられたのかもしれないな」

探偵は、「ほう」とつぶやいた。

「相模の件を調べなおしてみると、仕組まれた事故だとしたら方法はひとつしかないし、それをやれたのは彼女しかいないとすぐにわかった」

「どうやったんです？」

「簡単だよ。鎮痛剤を飲ませたんだ。それを飲むと眠くなるからと、彼が日頃から避けていた銘柄を選んでね。まだ、その薬のパッケージが、彼女の救急箱に残っていた」

あっと思った。そういうことだったのか。

「彼がその銘柄を避けていることは、職場の同僚たちも知っていた。彼女が知らないわけがない。大方、コーヒーにでも混ぜて飲ませたんだろう」

「明白な殺意があったとは思えませんがね」と、探偵は言った。「プロバビリティの犯罪というやつだ」

そう。そうだった。あの夜、佳夫との話を打ち切るときに、杏子が（あたし、あなたの言葉に賭けてみる）と言ったのは、そういう意味だったのだろう。あなたがもし、これで死ななかったなら、あたしはもう一度あなたを信じるわ――

「自分で殺しておきながら、彼のいない人生に耐え切れなくなった。そしていつのまにか、殺したのは自分ではない、彼は誰か別の人間の手で殺されたのだ――と思い込み、その妄想のなかに逃げ込むことで、現実と折り合いをつけてたんだ」

「そこへ塚田が登場した」探偵は苦く笑った。

「彼は犯人にはうってつけですからね。なるほど。最初、雨宮杏子のバッグのなかに、あなたの名刺が入っているのを見つけたときは、どういうことかと思いましたが」

「相模に関しては、それだけのことだ。塚田は関係ない。だが、ヤツ自身の事件では別だぞ」

「自信がありそうですね」

「やるしかないさ」

「捜せば、決定的な物証が出てくるとでも？」

探偵の口調に、かすかに揶揄《やゆ》するようなものが混じっていたが、俺には、それが刑事に向けられたのではなく、この事件全体に向けられたもののように聞こえた。

「わからん」と、刑事は率直に言った。「この事件は、素直に捜査していっちゃ解決しないような気もするんだ。実は、気になってしょうがないことがひとつあってね」

「なんです」

「失せ物だよ」

「失せ物？」

「そうだ。四人の被害者の遺体から、ひとつずつ欠けているものがあるんだ。気づかなかったか？」

「そういえば、デカ長、森元隆一のネクタイピンのことを、えらく気にしてましたね……」

「そうだよ。あれが発端だ。ネクタイピンなんて、そうそう簡単にはずれてどこかへ行ってしまうもんじゃない」

探偵が、そらんじるような口調で言った。「塚田早苗は指輪をとられてたな……」

「太田逸子のコートはボタンをむしり取られていた」

「葛西路子は？」

探偵の問いに、刑事は声をひそめて答えた。「これはマスコミには流してない情報なんだがな。彼女の髪が切られていた」

「髪が――」

「妙だろう？」

探偵はなにも言わなかったが、顎《あご》を引いて考えこんでいる。二人の男の表情は、奇妙に似通っていた。そして、その真剣なまなざしに、俺はふと、杏子の顔を思い出した。いつもあんなふうに、真面目な顔ばかりしていた杏子。

呟くように、探偵が言った。「見かけよりも複雑な裏のある事件かもしれないってことですか」

刑事はくたびれた背広に包まれた肩をすくめた。「わからん。わからんことばかりだよ」

「今は、まだね」と、探偵が言った。

二人の男は、黙って煙草をふかしている。ややあって、吸いさしを揉《も》み消して立ち上がりながら、低い声の探偵が訊いた。

「話が戻りますが、今度の殺人の引き金はなんだったんです？　杏子が相模を殺そうとしたのには、なにかきっかけがあったはずでしょう」

年嵩の刑事は俺を取り上げ、札入れのなかから、あの不可解な半紙の包みを出して広げてみせた。

それで、俺にもわかった。

佳夫はこういうものを捨てることができない男だった。信心深かったから。縁起をかついだから。

古くなったお守《まも》りや、拾ったお守りは、いくらかのお賽銭《さいせん》を添えて、神社の賽銭箱に〈返して〉あげるのが、いちばんいい。そう言っていたことがある。

「これを見て杏子は、相模に別の女がいるという妄想に、はっきりした根拠を見つけてしまったんだな」

と、刑事は言った。

可哀想な、可哀想な杏子。

あの日、佳夫が喫茶店で拾ったのは――水天宮《すいてんぐう》の、安産祈願のお守りだった。

旧友の財布

1

「あたし、やってません」

三室直美《みむろなおみ》はそう言った。これで四度目。主張は変わらない。

「頑固な子だね」と、不機嫌そうな声が言う。彼はここの私服警備員だ。声の感じから推して、五十歳ぐらいだろう。特に憤激している様子もないのに、言葉の合間に荒い鼻息が交じるのは、心臓が悪いのか、それとも鼻炎持ちなのか。

時折り、ちぎれた紙が風に飛ばされてくるように気紛《きまぐ》れに、スーパーの店内に流れる明るいBGMが聞こえてくる。

「なあ、三室」僕の持ち主は、いつもよりやや低い声音《こわね》で言った。「下を向いてないで、先生の顔を見てみろ」

直美は言われたとおりにしたらしい。やや時間はかかったが。

僕の持ち主は、心持ち肩を引き、威厳をつくった。学校で報らせを受け、大急ぎで上着に腕を通して飛び出したときよりは、ぐっと落ち着いている。

「おまえは万引きなんかしてないんだな？」

「はい」間髪《かんはつ》入れず、直美は答えた。「絶対にやってません。その人、あたしと本当の犯人とを間違えてるんです」

その人、と呼ばれた警備員は、大きな音をたてて鼻をかんだ。うん、鼻炎の線が濃くなった。

「たまらないね」と、彼は鼻声で言った。「まったく恥知らずなガキだ。先生、あんたどういう教育をしてるんだね」

僕の持ち主は立ち上がった。「恥知らずとはなんです。聞き捨てならないな」

「そうだからそうだと言ったまでだよ。おい先生、立場を忘れてもらっちゃ困るよ。俺はね、この女の子が盗んだものを手に持ってる現場を見たんだ。で、追いかけて捕まえた。確かにこの子だったんだよ。俺だって仕事でやってるんだ。人違いなんかするわけがない」

「だって人違いなんだもの！」直美が声を張り上げた。「ひどい！　頭からあたしがやったって決めつけてるだけじゃない！」

警備員も声を荒らげた。「決めつけてるんじゃない。この目で見たんだ！　どこまでしらを切り通すつもりだね？」

僕の持ち主は素早く動き、二人のあいだに割って入った。相手に飛びかかるか、飛びつくか、ひっぱたくかしようとしたのは、直美の方だったようだ。僕の持ち主に押えられて、彼女はわっと泣きだした。

「相手は子供なんですよ。脅かしてどうするんです？」

「少し脅かしてやった方がいいんだよ、こういうガキはな」

僕の持ち主の両腕がわなわなと震えている。彼の上着《うわぎ》の内ポケットのなかにいても、それが伝わってきた。鼓動も早い。

「証拠はあるんですか？」切り口上に、そう訊いた。「この子が盗んだというものは、今どこにあるんです？　この子が持ってるんですか？」

とたんに、警備員は守勢に回った。

「それが——ここにはなくてね」

「ない？」僕の持ち主は大音声《だいおんじょう》で言った。「ないって、じゃ、どこにあるんです？」

「この子がどこかに隠したんだろうさ。逃げる途中でね。俺よりもすばしっこいからな」

今や、僕の持ち主は歯軋《はぎし》りをしていた。

「めちゃめちゃじゃないか。そんな根拠薄弱なことで、どうして子供に疑いをかけることができるんです？」

警備員は鋭く答えた。「簡単さ。俺は、その子が、万引きをするところを、この目で、このふたつの目で、ばっちり見てたんだよ。だから疑いをかけることができる――いんや、疑いどころか、それが真実だよ」

一語一語強調するように言ってから、騒々しく鼻を鳴らし、投げ出すように、「それに、声をかけたら逃げだした」と続けた。「言っとくが、俺は〈ちょっと〉と声をかけただけだぞ。最初から〈泥棒！〉なんて言ったわけじゃない。それなのに、この子は回れ右をして逃げだしたんだ」

泣きじゃくっている直美に、僕の持ち主は優しく訊いた。

「三室。声をかけられたとき、なぜ逃げたりしたんだ？」

直美はつっかえつっかえ答えた。「だって……怖かった……から」

「なぜ怖かった？」

「その人に――何かヘンなことされるんじゃないかと思って」

警備員は「へ！」と言った。

「だって――つい最近もあったんです。駅で――知らない人に声かけられて――道でもきかれるのかと思って近づいたら、嫌らしいことを言われたの」

内ポケットのなかで、僕はわずかに左へ引っ張られるのを感じた。直美が僕の持ち主の右袖をつかんでいるのだろう。

「だから気持ち悪くって……」

ささやくような直美の言葉を聞き終えて、僕の持ち主は無言の警備員の方へぐいと振り向いた。

「どうです？　そそっかしい勘違いかもしれないが、筋の通らないことじゃない」

「あとからなら、どうとだって言えるよ」

「あなたはそういう物の見方しかできないいんですか？」

「俺が言ってることの方が真実だよ！」

「証拠を見せなさいよ！」と、直美が叫ぶ。

「なんだと、この――」

「やめなさい！」

僕の持ち主の左肩に、どすんと何かが当たった。警備員の手かもしれない。どうなることかと思ったとき、新しい声があわてたように割り込んできた。

「何事です？　どうしたんですか？」

ほかの警備員のようだった。彼のとりなしで、どうやらその場は鎮まったが、鼻炎の警備員の鼻息は、ちょっとした小火《ぼや》なら消してしまうことができそうなほどの勢いになっていた。

割り込んできたべつの警備員は、はるかに理性的な話し運びをした。彼の言うことによると、鼻炎警備員は新米で、この大型スーパー〈ローレル〉の売場で万引きの現場をとり押えるのは、これで二度目のことであるという。

「だから間違ってるっていうんですかよ？」

鼻炎警備員は先輩警備員に抗議した。相手は冷静だった。

「ことを処理するに当たって、今の君の態度が適切なものではないと言っているんだよ」

鼻炎警備員は、もごもご何かつぶやいて黙ってしまった。僕の持ち主は、あからさまに溜め息をもらして、

「助かりました。この方は、こちらの話をまったく聞いてくれようとしなかったんです」

先輩警備員は丁寧に詫びを言い、事実関係を確認すると、鼻炎警備員に尋ねた。

「それで、君が盗まれる現場を見たという商品は何だね？」

「ミニチュア・ガーデンですよ」

四階の玩具売場にある、精巧なプラモデルみたいなものだという。先輩警備員に指示されて、鼻炎警備員はそれと同じものを持ってきた。

「高価なものですか？」僕の持ち主が訊く。

「このセットが五千八百円です。子供の玩具というより、趣味の品物ですからね。コレクターの大半は大人です」

「これが、すぐ手の届くところに置いてあるんですか？　ショーケースもなしに？」

「そうです。確かに、展示の方法にも問題はありますでしょう」

直美がヒステリックに言った。「そんなのどうでもいいじゃない。先生、あたし盗《と》ってない！　どんなふうに展示されてたかなんて関係ない！」

僕の持ち主はなだめた。「誰も、君が盗ったなんて決めつけてはいないよ」

僕の持ち主は、教壇に立って微積分を教えているときのような、平明な声の調子を取り戻した。二人の警備員に、

「我々としては、生徒の言うことを頭から嘘と決めつけるわけにはいきません。彼女が違うと言っている以上、事実を見極めないことには――」

「なるほど」と、先輩警備員が言った。「では、どうなさいますか」

「今日はひとまず帰らせてください。今後は、僕が責任をもって処理に当たります」

「うちはそうはいかない」と、鼻炎警備員が口をはさんだ。

「事実関係がはっきりするまで、処理を保留しておくことぐらいはできる」先輩がぴしゃりと押えた。

「そうしてください。じゃ、連絡先は――」

僕の持ち主は、胸の内ポケットから僕を取り出すと、仕切りのなかから名刺を抜き出した。それで初めて、僕も関係者一同の顔を見ることができた。

鼻炎警備員は、鼻炎にかかったブルドッグのような顔をしていた。三室直美はまぶたを赤くして、右手にハンカチを握り締めている。

彼女は制服姿ではなかった。格子縞《こうしじま》のジャケットに、膝小僧ののぞく丈のスカート。ジャケットの身ごろのポケットにはフラップがついており、可愛らしい花形のボタンでとめてある。それがアクセサリーがわりなのだろう。

問題の商品、「ミニチュア・ガーデン」と呼ばれている代物は、小さな箱庭みたいなものだった。先輩警備員の話では、ほかにもいくつか種類があるようだったが、今ここに置かれているものは、アメリカ映画に登場する郊外の住宅地のような町並みをかたどったものだ。三角屋根の家が四つ。庭、芝生、その上を半円形によぎる車回し、粋な角度の屋根を持つカーポート。道路の上には自転車をこぐロングヘアの女の子がいる。家のポーチで揺り椅子に座っている老人がいる。犬を散歩させている子供がいる。それがすべて、はがき一枚ほどの大きさの盤の上に載せられているのだった。

だが、造りは精巧だ。家の壁はちゃんとサイディング・ボードで張ってあるように作られているし、芝生も人工芝みたいなものが植えてある。緑色に塗ってあるだけではないのだ。左端の青い屋根の家の前に停められている赤い自転車など、十円玉の直径ぐらいの大きさしかないが、金属の部分は、天井の蛍光灯の光を受けて、ちゃんと光っている。手にとってみたら、重さもそれなりにあるに違いない。

「どうせ財布を出したんなら」鼻炎警備員が意地悪く言った。「先生、あんたが五千八百円払ってくれちゃどうだい？　それで万事解決じゃないか」

先輩警備員が怖い声を出した。「君が〈盗られた〉と主張している商品は、見つかっていないんだぞ」

「この子がどこかにがめてるんですよ」

すると、僕の持ち主は、僕を内ポケットに戻しながら、きっぱりと言った。

「僕が、はいそうですかと代金を払ったら、それだけでもう、生徒が万引きをしたと無条件で認めることになりますからね。そんなことはできませんよ」

「なんだか知らないが、先生、あんたお人好しだね。俺は見たんだよ」

僕の持ち主は、警備員に背を向けた。

「さてと。三室、じゃあ、失礼しようか」

2

「ずいぶん信頼されてるのね」

その夜のことだ。夕食をとりながら、僕の持ち主がことの次第を話して聞かせると、邦《くに》子《こ》さんはまずそう感想を述べた。

邦子さんは、僕の持ち主の奥さんである。僕が彼女に敬意を表して「さん付け」で呼んでいるのは、仲間と一緒に並べられていたショーケースのなかから僕を選んでくれたのが彼女だったからだ。

あの時、彼女はこう言った。

(ある程度の年齢になったら、革製品は安物を持っちゃ駄目よ)

それが三年前のことだ。当時、彼らは新婚だった。三十三歳と三十歳の新婚カップルだから、さすがに浮ついてはいなかったけれど、それでもずいぶんと甘ったるい声を出していたよ。

僕の持ち主も、自分の奥さんのことを、ずっと「邦子さん」と呼んでいる。邦子さんの方は、「ねえねえ」とか、「ちょっと」とか、ときには「優《ゆう》ちゃん」などと呼びかけるときもある。これ、そのまま夫婦の力関係に通じるものがあるようだ。

申し遅れたが、僕の持ち主の名前は宮崎優作《みやざきゆうさく》。公立高校の数学の教師だ。今は一年A組を担任して、男女三十二人の生徒たちの面倒をみている。

そして僕は、お察しのとおり、彼の財布だ。つまりは世帯主の財布なわけだけど、「僕は宮崎家の財布だ」と言い切ることができないのは、家計を握っているのが邦子さんだからである。彼女も地元の定時制高校の教師だが、今は産休をとっている。邦子さんのおなかにいるのは、夫妻のあいだに誕生する、最初の赤ちゃんだ。

「信頼されてるって、誰が？」

皿や茶わんを集めて流しへ運んでいきながら、僕の持ち主は訊いた。邦子さんはキッチンの椅子に腰をおろし、そっくり返って背もたれに寄りかかりながら、丸いおなかを撫でている。

「決まってるじゃない、優ちゃんよ。だって、万引きの現場を補導された生徒が、親じゃなくて、担任の先生を呼んでくれって要求するなんて、すごくめずらしいことよ。しかも、その生徒、あなたが来るまでは何もしゃべらない、とまで言ったんでしょ？」

袖まくりして、泡だらけのスポンジを使いながら、僕の持ち主は頭を振った。

「それはね、格別僕が信頼されてるからじゃないよ。三室の家には、ちょっと事情があってね」

「両親が不仲だとか――？」

「いいや。言ってみればその逆だよ。父親が銀行員でね、三室がうちの高校に合格したあと、すぐに札幌支店長に栄転したんだ。ところが、三室は、どうしても東京の高校へ行きたい、北海道に行くのは嫌だと言い張ってさ。母親の方は、お父さんを単身赴任させるなんてとんでもない、子供のあんたがついていらっしゃいと説得したらしいんだけど、彼女はどうしても聞き入れなかった」

「で、両親と別れて暮らしてるわけ？」

「そう。伯母さん夫婦の家に居候《いそうろう》してるんだけどね。そんなんだから、彼女も、万引きの疑いをかけられたとき、身内には連絡しにくかったってわけさ」

邦子さんは、おなかを撫でながら「ふうん」と言った。「そうだったのか。でも、彼女のお母さんの気持ちはわかるわ。あたしだって、わがままを言う娘よりは、夫をとるわよ。絶対」

僕の持ち主は笑った。「赤ん坊の顔を見ちゃったら、どうかなあ。僕の存在なんか、怪しくなるんじゃないか」

「今でもそういうこと、あるものね。あなた静かだから。いないだろうと思ってパッと振り向くといたりしてさ」

「人を幽霊みたいに言ってくれるね」

食器を洗い終えると、僕の持ち主はやかんの湯をわかして熱いお茶をいれなおした。邦子さんのために、だ。まめな夫である。

「ねえねえ」くちびるを尖《とが》らせて湯呑みをふうふう吹きながら、邦子さんは言った。「本当のところ、あなたはどう思ってるの？　その三室って生徒は潔白だと思う？」

僕の持ち主は、ちょっと首をかしげた。

「潔白だと思いたいね」

「つまりは願望なわけね？　断言ではなくて」

「決め手がないからね」

邦子さんはゆっくり頷《うなず》いた。

「その警備員、態度はすごく失礼だし言語道断だと思うけど、彼がただ思い込みだけで騒いでるとも言い切れないものね」

「そういうことどうやって調べるの？　真相を」

「スーパーの方では、店内を捜索して、失くなった商品を探してみるそうだ。それで失せ物が出てくれば手がかりになるかもしれない。僕の方は、もう一度三室とよく話をしてみるよ。今日はあの子も興奮してたから、前後の事情をつかみきれなかったからね」

邦子さんは天井を見上げてつぶやいた。

「彼女、本当に万引きをしたのかもしれない」

「うん」

「あるいは、まったくしていなくて、ただ濡《ぬ》れ衣《ぎぬ》を着せられただけなのかもしれない」

「そう」

「あるいはまた、万引きしようとして土壇場《どたんば》で考え直したのかも」

「うーん、それは……」

「さらには、万引きしてないけど、そう疑われても仕方のない振舞いをしたのかもしれない」

「まあ、それはあり得るかな……」

「ねえ、優ちゃん、あたしが今なにを考えてるか、わかる?」

「また、あんみつが食べたくなったのかい?」

邦子さんはケラケラ笑った。「あれは悪阻《つわり》のときの話でしょ」

当時の彼女、夜中にむっくり起き上がり、(優ちゃん、あたし、あんみつが食べたい)とのたまったことがあるのだ。

邦子さんは笑いを消した。「あたし、塚田さんのことを考えてたの」

僕の持ち主は、黙って奥さんを見つめている。邦子さんは、大きなおなかが許すかぎり身を乗り出して、彼の方へ首をかしげた。

「ねえ、優ちゃん。今のあなたの言葉を聞いてて、あたしはとってもうれしかったの。あなた、冷静よね。頭から三室さんを叱りつけたわけじゃないし、かといって盲目的に彼女かばったわけでもない。すごくきっぱりした態度をとったと思うわ。同業者としても、あたし、偉いと思う」

「――ありがとう」

「そのあなたが、どうして塚田さんのこととなると、俄然《がぜん》感情的になっちゃうの?」

僕の持ち主は、邦子さんから目をそらすと、何も映っていないテレビの方へ視線を投げた。

「塚田の事件――いや、彼の事件なんかじゃない、彼の奥さんの身に起こった事件だよ。彼がいちばん悲しんでる」

「あたしはそういうことを言ってるんじゃないの」

「わかってるさ」僕の持ち主は、少しいらついたように言った。彼が邦子さんに対してこんな態度をとるのは、この件に関してのみ。

邦子さんは、さらに何かを言いかけて、考え直したように口を閉じた。気を悪くしたからではなく、夫の心をかき乱してまで話を続ける決心がつかないからだろう。

ややあって、僕の持ち主はぽつりと言った。

「状況証拠だけしかないんだ。あれで塚田を断罪するなんて間違ってるよ」

またしばらく間があいて、今度は邦子さんが言った。

「そうね」

僕の持ち主は、むきになったことを照れたように、少し口元を緩《ゆる》めた。

「本当にあんみつは欲しくないの？」

3

翌日。

僕の持ち主は、僕をおいて出勤してしまった。大儀そうに掃除をしていた邦子さんが、ハンガーラックの棚の上に置き去りにされている僕を発見したのは、お昼近いころのことだった。

「あらヤダ」と、邦子さんは笑い、おなかの赤ちゃんに話しかけた。「あなたのパパはそそっかしいわね。お財布がなくて、どうしてるのかしら」

まあ、なんとかしてるだろう。

午後一時ごろ、邦子さんのお母さんが、山ほどの荷物を持って訪ねてきた。邦子さんが産休をとってから、週に一度はこうしてやってきて、二人でお昼を食べることが習慣になっているのだ。

母娘は、ちらし寿司に大福にバナナに牛乳にお好み焼き——という、脈絡はないけどやたらに腹の張りそうな昼食を平らげ、食べながら盛大におしゃべりをした。

二人が、食後のカフェイン抜きコーヒーを飲んでいるとき、テレビでワイドショー番組が始まった。今日もまた、最初の話題は塚田和彦のことだろう。僕は棚の上でそれを聞いていた。

「連日お伝えしております保険金交換殺人疑惑の続報ですが——」

疑惑、などともったいぶっているけれど、テレビはもう、塚田和彦を犯人と決めつけている。どのレポーターも、警察は何をぐずぐずしてるんだと言わんばかりの口振りだ。

「おや、邦子、あんたまたビデオを録《と》ってるの？」と、お母さんが訊いた。

「ええ」

「優作さんが観るのかい？」

「そうよ」邦子さんは言って、小さい溜め息をもらした。「すごく真面目にね」

「よほど気になるんだねえ」

「まるで自分のことみたいに一生懸命よ。こんな疑惑報道、許せないって怒ってるわ」

ここで、少し説明が必要だろう。塚田和彦という男と、彼にかけられている疑惑のなんたるかについて。

特に複雑な話ではない。塚田和彦という三十六歳の男が、森元法子という女と共謀して、それぞれの夫と妻を殺害し、この殺人について知ってしまった塚田の前妻と森元隆一のなじみのホステスの口もふさいで、保険金をとろうとしたのではないかという疑いがもたれているのだ。この件については、もうたくさんだというほどに報道されている。

塚田和彦と森元法子は、二人が愛人関係にあることは認めている。その点は、きっぱりしたものだ。

「法子さんと愛人関係にありながら、なぜ早苗さんと結婚したのですか？」という質問に、和彦はこう答えた。

「早苗を裏切りたくなかった。彼女と結婚すれば、法子のことも忘れることができると思ったんです」

身勝手ではあるが、心理としては頷けないでもない。

和彦と法子が知り合ったのは、和彦が前妻の逸子と結婚したばかりのころのことだという。当時、法子は下町の保険代理店に勤めており、和彦はそこへやってきた客だった。彼はまた、ジュヌビエーブの共同経営者になったばかりのころでもあった。

「わたし、すぐに彼を好きになりましたけど、でも彼には奥さんがいたし……。それでもいいってつきあっていましたけど、半年ぐらいで、結局別れました。そして、隆一と結婚したんです。ところが、わたしが隆一と結婚してしばらくしたら、和彦さんは奥さんと別れてしまった……」

和彦の前妻の父親は、この離婚の原因は和彦に愛人がいたからだ、と言い、それが法子であると断定している。

和彦も法子も、一様に正直だ。自分たちに不利なことでも、しゃあしゃあとしゃべってしまう。だからマスコミに責められているのだと、わかっていないのだろうか。

法子ときたら、こんなことまで言っているのだ。

「隆一さんが殺されたとき、悲しかったですよ。でも、一瞬思いました。ああ、これでわたしは自由だ、ひょっとしたら、今度こそ和彦さんと結婚できるかもしれない、って。でも、その時にはもう、和彦さんは早苗さんと婚約してて、わたしがどんなに頼んでも、

〈僕たちはもう別れた方がいい〉の一点張りだったんですもの」

ちらりと笑って、「わたしたち、なんかタイミングがずれてるのよねえ」と言う。

おまけにもうひとつ、最近になって、こんな事実が出てきた。塚田と妻の早苗の結婚式に、法子がこっそり押しかけて、塚田に会おうとしたことがある、というのである。名刺の裏に、

「わたしは約束を忘れてないわ　あなたを愛してる　N」と書いたものを、早苗の甥っ子の少年を通してことづけようとした。少年の話では、それを聞いた塚田は大慌てに慌て、法子に電話して怒鳴りまくり、計画がうまくいくまでは近寄るなと話していたという。はっきり、「計画」と言っていたという。

少年は、こんなことがある前から、早苗と塚田の結婚について不安を感じていたという。鋭い子じゃないか。だけど、彼の周りの大人たちは、彼の言うことに耳を貸してくれない。しかも、運の悪いことに、肝腎の名刺を年長の不良少年たちに盗まれてしまったために、少年は、確かにこういうことがあったという証拠を提出できない状態にあった。

しかし、彼はあきらめなかった。自分の財布を盗んだ不良少年たちを捜しだし、証言させようと、ずっと努力していたというから凄いじゃないか。

その甲斐あって、彼は不良少年たちを見つけだすことができた。そのため、喧嘩に巻き込まれて右腕を骨折するという目にも遭いながら、立派に目的を果たしたのだ。不良少年

たちの話から、当日の法子の行動が裏づけられ、ここでまたひとつ、彼女と塚田の共謀の傍証が固められたことになったわけだ。

ただ、早苗の甥っ子の少年にとって気の毒だったのは、彼の幼い執念が実を結んだのが、大好きな早苗叔母さんが殺された後だったということだ。これは、僕も実に可哀想だと思った。邦子さんも、ワイドショーでこの話題が出てきたり、事件について語る少年のギプスで固められた腕が映ったりすると、辛そうな顔をして見つめている。

一方、法子は、この新しい傍証について、こう説明している。

「約束を忘れてないという、その『約束』は、誰と結婚して家庭を持っても、心の片隅では、いつもあたしのことを愛していてくれる、ということだったんです」

しおらしく口元に手をあてて、法子は言ってのけたものだ。

「塚田さんが早苗さんと結婚した時、あきらめたつもりだったけど、やっぱり悔しくて、早苗さんに電話をかけて、嫌がらせめいたことを言ってしまったこともあるんですよ」

塚田も、法子が式場を訪れていたこと、その件で彼女に電話をかけ、口論をしたことは認めているが、それ以上の、早苗の甥っ子が告発しているようなことはなかったと話している。

「傷ついた子供の心が、叔母さんの死について、早く誰かに責任をとらせたくて焦ってるんです。あの子のためにも、一日も早く警察が犯人を捕まえてくれるように願ってますよ」

すごい阿呆なのか、天真爛漫《てんしんらんまん》なのか、まったく清廉潔白《せいれんけっぱく》だから何を言っても怖くないのか、自分たちの計画殺人に絶対の自信を持っているから澄ましていられるのか——どれだろう？

二人をとり囲んでいる状況は、真っ黒だ。これ以上の闇はない。でも、決め手となる物証（ワイドショーのおかげで一般化した言葉だ）が何もないので、カラ騒ぎばかり繰り返されている。渦中の二人は、見ようによっては凜々しく、この騒ぎを辛抱している。

今日のワイドショーでは、和彦の車のナンバープレートの件を蒸し返していた。劇的な進展がないものだから、三日に一度ぐらいの割合で同じ話題がめぐってくるのだ。

これは、例のホステスの死体発見にかかわることだった。彼女を発見するきっかけをつくったのは十九歳のバスガイド嬢だったのだが、このガイド嬢、以前にも、発見現場をうろうろしている「塚田らしき人物」を見かけたというのである。それどころか、彼女の勤務している観光バスに、彼が客として乗りこんできたこともあるというのだ。

だが、それはあくまでも「らしき人物」であって、「塚田だった」と断言することはできない、という。いつもサングラスをかけていたし、ときにはかつらもつけていたようだから——と、気弱なことを言っているのだ。

それでも警察は、べつの活路を見出《みいだ》した。ガイド嬢が「塚田らしき人物」を見たというとき、現場近くで不審な車を目撃していた老人を探しだしたのだ。老人の記憶はなかなかに正確で、彼の告げた車の車種、車体の色は、塚田和彦の車とぴったり一致した!

だが――

ナンバーが違うのである。

老人は、不審車のナンバーをちゃんと記憶していた。以来、テレビで何度も報道されたナンバーだ。それは同じ都内に住む会社役員の所持するナンバーで、盗難届が出されているものだった。正確には、「ナンバープレートだけが盗まれた」という届が出されていたのだった。

プレートなら付け替えることができる。たしかにそうだ。だが、塚田和彦がそれをやった――と決めつけることはできない。和彦の車とて、日本に一台しか存在しない種類のものではないのだから。

しかも、問題のナンバープレートは、現在に至るまで発見されていないのだ。

気のない顔つきでテレビを眺めているお母さんに、邦子さんは言った。

「優ちゃんね、この塚田って人のこと、全面的に信じてるわ」

「ほんとかい?」

「ええ。友達なんだ、あいつがそんなことのできる人間じゃないってことを、僕は誰よりもよく知ってるよ、ですって」

そうなんだ。このやっかいで血なまぐさい事件は、ただこの一点においてのみ、平和な宮崎家と繋《つな》がっている。塚田和彦は、僕の持ち主である宮崎優作の、中学一年生のときからの友達なのだよね……。

4

その夜、僕の持ち主はなかなか帰宅しなかった。連絡も入らない。時計の針が午後九時をまわると、気丈な邦子さんもさすがに不安をあらわにし始めて、あちこちへ電話をかけた。

彼が帰ってきたのは、十時をわずかに過ぎたころだった。重たげな音をたてて玄関のドアが開き——

「ただいま」

「お帰りなさい！　どうしたのこんなに遅く——」

邦子さんの声が宙ぶらりんになり、やがて少し怯《おび》えたような色を帯びた。

「優ちゃん、あなた、顔色が真っ青よ」

僕の持ち主は、足をひきずるようにしてキッチンへやってくると、どすんと腰をおろした。

「三室が——行方不明になってね」

「なんですって？」

驚く邦子さんの腕をとって座らせると、僕の持ち主は続けた。

「大丈夫だよ。もう見つけたから。今、病院で眠っている」

「怪我をしてるの？」

「手首を切って自殺しようとしたんだ。家の近くのマンションの屋上で」

彼女が姿を消したのは、昼すぎのことだという。

「僕も驚いたよ……登校してみると、一年生の教室のある階の掲示板に、校内新聞の号外が張りだされてたんだ」

校内新聞とは、新聞部が月に一度発行している壁新聞だ。

「三室の万引き事件を扱ってるんだよ。いったいどうして……昨日、電話をもらってスーパーへ駆けつけたときも、生徒たちにはヘンに思われないように気を遣ったつもりだったのに」

うーむ。僕は思った。その気の遣い方は、必ずしも成功していたとは言えない。

邦子さんは夫の手を握り締めた。

「ローレルには、ほかの生徒たちだって行くことがあるでしょう。誰かが騒ぎの現場を見てたのかもしれないわ。きっとそうよ」

僕の持ち主は頭を垂れた。邦子さんは続けた。

「それで、彼女を犯人扱いしてるの？」

「いいや。むしろ、冤罪《えんざい》だって怒ってるんだ。三室の名前も出してないし」

「じゃあ、新聞部は三室さんの味方なんじゃないの」と、邦子さんがほっとしたような声を出した。

「そうだよ、新聞部はね。でも、それを読んだ生徒たちの反応は、それほど素直なものじゃなかったんだ。名前を伏せてあったって、子供たちはこういうことにかけちゃ鼻がきくからね。すぐに、三室のことだってわかる。で、言い出した連中がいるんだよ。〈プロの警備員がそんな馬鹿な間違いをするわけがない。きっと、三室さんには疑われるだけの根拠があるに違いない〉というわけ」

邦子さんは目をぱちぱちさせている。

「ね？　こういうの、なんていうんだろうな。邦子さん、知らないか？　逆アナウンス効果とでもいうのかな。そういえば彼女は手癖が悪い、こんなことがあった、あんなことがあった――おしゃべり、おしゃべり、おしゃべりさ。ほら、夏休み中に、器楽準備室からフルートがひとつ紛失して、騒ぎになったことがあったろう？　あれまで彼女の仕業だと騒ぎだす生徒まで出てくる始末さ。まったく何の根拠もないのに」

しばらくのあいだ、邦子さんは夫の手を握って黙りこくっていた。夫はうなだれていた。

「それで彼女は、いたたまれなくなって学校を飛び出して、ずっと死に場所を探していたのかしら」

「きっとそうだ。間に合ってよかったよ。傷は浅いってさ」

「ご両親に連絡は？」

「したよ。すぐ飛んでくるはずだ」

ああ疲れた、と呻《うめ》いて、僕の持ち主は背中をのばした。

「可哀想なことをしちゃったよ」

「あなたのせいじゃないわ」

「最初から、僕だけでも三室の潔白を信じてやればよかったんだ。それならまだ、壁新聞を見ても、死のうと思い詰めるほど動揺しなかったんじゃないかなあ」

邦子さんは口をつぐんでいる。やがて、小さく訊いた。「じゃ、今は彼女の潔白を信じてるの？」

「当然さ。死のうとまでしたんだよ」

邦子さんはじっと彼の顔を見て、にっこりした。「あなた、お風呂に入った方がよさそうな顔をしてるわ」

夜中すぎまで、二人は起きていた。いくら三室直美が助かったからといって、僕の持ち主は、すぐに安眠できる気分ではなかったのだろう。並んで布団に入ってから、長いこと天井を見上げて話し合っていた。

「昨日、邦子さんとあんな話をしたからってわけじゃないけど、今日、三室を探し回っているあいだ、しきりと塚田のことを考えたんだ」

「どんなこと？」

「彼──辛いだろうなって、ね。考えてごらんよ。毎日が、今日の三室と同じ状態なんだ。それも、日本中が彼を、卑劣な殺人者だと指弾してる。証拠なんてひとつもないのに。あるのは憶測と状況証拠ばっかりなんだからね」

邦子さんは、すぐには何も言わなかった。僕の持ち主は続けた。

「塚田はね、僕の知ってる塚田は、金に執着するような男じゃなかった。保険金目あてに人を殺すなんてことができる男じゃなかった。金なんかのために──」

邦子さんが、ようやく、ぽつりと言った。

「それは、優ちゃん、あなたがそういう人だから、あなたが自分のものさしで塚田さんを測るから、そう見えているだけかもよ」

そう……僕も、そう思う。

安月給の教師で、これから子供が生まれようというところだ。お金はいくらあっても足らないが、いくらでも入ってくるというものではない。僕の持ち主は、終始僕をすきっぱらにして、時々僕のなかをのぞきこんでは、ちょっと溜め息をもらしたりしている。いつも僕がスカスカの状態でいるので、ちょっとばかり寂しくなったのかもしれない。半月ほど前、顧問をしている絵画クラブの生徒を連れて、学校の近くの神社の境内にスケッチに行ったとき、社務所で売られていた「金運のお守り」なるものを買ってきて、僕のなかに入れてくれた。僕はそれを、大事に大事に、ファスナーのついた内懐ろのなかに抱いている。

お守りといっても、僕の持ち主の小指の爪ぐらいの大きさしかない、小さな蛙《かえる》の焼き物である。これを財布に入れておくと、「金がカエル」というのだそうだ。縁起かつぎというより、駄じゃれに近い。それでも、僕の持ち主は、このちっちゃな蛙を大切にしている。

僕の持ち主は、そういう人間なのだ。お金がなくて大変でも、時々少し惨《みじ》めになっても、縁起物の小さな蛙を財布に入れることぐらいしか思いつかない。きわめて常識的で、小心で、あたりまえの男。そういう男に、いくら旧友のこととはいえ、妻のほかに愛人を持ち、繁盛しているレストランの共同経営者におさまって派手に世渡りしている男の価値観が、はたして本当に理解・想像できるものだろうか。

今の段階では、塚田和彦と森元法子を断罪することはできない。いや、そんなことをしてはいけないということは、邦子さんもよく知っているはずだった。彼女が毎日ワイドシヨー番組をビデオに録《と》っているのは、夫がそれを観ながら、番組のなかでもっともらしく述べられている「推理」「推測」「仮説」「証言」「告白」なるものが、いかに予断と偏見と思い込みに満ちているか、ひとつひとつ指摘してゆくのに耳を傾けるためだったのだから。

(新婚旅行先でスキューバ・ダイビングをしたとき、塚田が溺《おぼ》れかけた早苗さんを見殺しにしようとしてたなんて、誰にわかる？　あとから色眼鏡で見たら、なんだってそう見えるさ)

(塚田が女の子をナンパしては金をまきあげてたなんて、僕は知らない。中学・高校とずっと一緒で、休みのときにも一緒に行動してた僕が知らないところで、そんな芸当ができるわけがないよ。こりゃ、嘘だ)

「あなたは本当に塚田さんが好きなのね」

邦子さんは静かに言った。僕の持ち主も、静かに答えた。

「うん。そうだよ」

「なぜかしら」

「彼が僕を男にしてくれたからだろうな」

僕の持ち主は軽く笑った。

「もちろん、妙な意味じゃないよ。そうだな、むしろ、彼が僕を人間にしてくれた、と言うべきかもしれない」

「あなたはもともと人間よ。とっても優しい人間」

ありがとう、と言って、僕の持ち主は少し沈黙した。邦子さんがお嫁入りのとき持ってきたボンボン時計が、ひとつ打った。

「僕はね、邦子さん。十四歳ごろまで、ひどい吃音癖《きつおんへき》があったんだ」

驚いたのだろう。邦子さんは首をあげた。

「本当？」

「うん、ホントさ。パン屋に行って、食パン一斤《いっきん》買うにも大騒ぎだったんだ。一人っ子で気が弱かったせいかな……身体も丈夫じゃなかったしね」

だから、僕の持ち主には友達がいなかったのだという。

「犬を飼っててさ。雑種だけど、頭がよくて可愛くてね。子犬から僕が育てたんだよ。テツって名前だった。テツがいれば僕は寂しくないや、なんて思ってたよ。テツなら、僕がどんなに吃《ども》ったって、笑ったりはやしたてたりしないしね」

ところが、僕の持ち主が中学一年生の秋、そのテツが突然行方不明になった。

「真っ青になって探し回ったよ。雨が降ってたんだけど、傘をさすことも忘れてた。必死だったんだ」

そのとき、（どうしたんだよ？）と声をかけ、手伝ってくれたのが塚田和彦だったというのだ。

「彼とは家がすぐ近くだったんだけど、クラスも違うし――それに、彼はすごい人気者だったんだよ。ハンサムで、スポーツができてさ。頭も悪くなかった。女の子にモテて、だけどそれを鼻にかける様子もなくてさ。そんな彼が、うろたえるあまり吃ってロクに口もきけないでいる僕から辛抱強く事情を聞き出すと、いっしょにずぶ濡れになって、テツを探してくれたんだ」

「――見つかったの？」

今でも思い出すと辛いのか、僕の持ち主はゆっくり答えた。

「見つかった。近くの廃工場のゴミ捨て場でね。身体に傷はなかったから、野犬退治の毒入り餌でも食べてしまったのかもしれない。なんせ、二十三年も昔の話だからね」

僕の持ち主は、テツの亡骸《なきがら》を捨てるに忍びなかった。でも、うっかりしたところに埋めては、掘り返されたり虫がわいたりするかもしれない。それも辛い。

「すると、塚田がね、いい場所を知ってるって言うんだ。彼、当時は写真に凝ってて、時々お父さんと撮影旅行をしてたらしいんだな。町からそう遠くないところで、自然保護林になってるところがある。そこなら見晴らしもいいし、ふさわしい墓地になるよって言ってね。その日は土曜日だったから、翌日すぐ、テツをトランクにつめて、二人で電車に乗って出かけたんだ。コロつきのトランクなんて、当時はすごくめずらしいものだった。それも、塚田が貸してくれたんだよ。彼の家は資産家だったからね」

二人は小高い丘の上にテツを葬り、そこにケルンを積んだ。すぐ近くに、樹齢百年になるという大楠木《おおくすのき》があって、場所的には覚えやすいところだったという。

「それから、彼とのつきあいが始まったんだ。彼は僕をまともに扱ってくれた。笑ったり、からかったりしなかった。テツなしで途方にくれている僕を、塚田が支えてくれたんだ」

「あなたが彼に何かしてあげたことはないの？」

「あるさ。ひとつだけね。彼、頭は良かったけど、数学は苦手だった。逆に僕は、数学だけは得意だったから、彼に教えることができた。僕なんかにも彼より優れてる点があるんだな、と思うと、それだけで自信になったもんだよ」

「彼、そんなに優秀な子供だったの？」

「こんな言葉を使うと、今の生徒たちには笑われるかもしれないけど、クラスのアイドルだった。彼といっしょにいる、彼が僕と友達だと言ってくれるというだけで、ほかの連中の目付きが変わったものね」

そうしているうち、吃音癖は少しずつ軽くなってゆき、気づいてみたらすっかり治っていた、というわけだ。二人のつきあいは高校卒業まで続いたが、塚田和彦が現役で大学にうかったのに、僕の持ち主が浪人してしまったために、次第に疎遠になっていった。それでも、お互いに三十歳の声をきくまでは、年に一度ぐらいは顔をあわせていたという。

「塚田が僕を人間にしてくれたんだよ。彼みたいな優しい、良心のある男に、保険金殺人なんかできるわけがない」

その力強い断言に、邦子さんは反論しなかった。かわりに、こう訊いた。

「優ちゃん、いちばん最近塚田さんに会ったのは、いつ？」

「さあ……いつかな。僕たちの結婚式のときじゃないかな」

「そうね。あのとき、彼も結婚してたのよね。早苗さんじゃなくて、前の奥さんと」

「――うん」

「そのこと、ひと言もいってなかったね」

「いろいろ事情があったんだろうさ」

「テレビでインタビューに答えてる、彼の友達だって人たちも、彼が早苗さんの前に一度結婚して離婚してるなんて、誰も知らなかったって驚いてるわ。みんな初婚だと思い込んでた。当の早苗さんの身内だってそうよ」

不機嫌そうな沈黙のあと、僕の持ち主は訊いた。「なにが言いたいのさ、邦子さん」

「あたしが言いたいのは、塚田和彦さんだって完璧じゃない、結婚みたいな人生の大事に関して、友達に嘘をつくような点もあるんだってことよ」

僕の持ち主が返事をしないので、邦子さんは起き上がった。

「ねえ、あなた。あなたの思い出まで汚すつもりはないのよ。でも、人間は変わるもんだわ。今のあなたを見ていると、あたし、心配なの。塚田さんのために義援金でも集めかねない勢いなんだもの。それがいい方に出てくれればいいけど、もしも違ってたら——彼が本当にお金目あてに奥さんを殺していたとしたら、その時あなたがどんなに傷つくかと思うと……」

かなり長い間をおいて、僕の持ち主はやっと言った。

「わかったよ。でも、大丈夫だ。そんなことにはならないよ。おやすみ、邦子さん」

おやすみ、と答えた邦子さん、なかなか眠れなかったようだった。

5

スーパーの先輩警備員から、例の「ミニチュア・ガーデン」が見つかったという連絡が入ったのは、その二日後のことだった。僕の持ち主は、また警備員室まで出向いていった。

「焼却処分するゴミを詰めたコンテナのなかから拾いだしたんです」

「それはまた——」

「いや、たいしたことはありません。金属探知機を使いましたからね。この品物は、ところどころにスチールを使っているので、よく反応するんです。まわりは燃えるゴミばかりですから、すぐ見つかりましたよ」

机に載せられている「ミニチュア・ガーデン」は、あちこち汚れ、赤い自転車が欠け落ちていた。

「しかし、ゴミのなかにあったというのはどういうことでしょう」

先輩警備員は、言葉を選んで慎重に言った。

「誰にしろ、これを盗んだ人物は、追いかけられて逃げる途中で、店内を回っているゴミ回収係のカートのなかにこれを捨てたんでしょう。追いかけるほうも、据え付けのゴミ箱のなかは探しても、回収されて移動していってしまったゴミのなかまではのぞいてみようと思わない」

そして、えへんと咳払いをした。

「宮崎先生、あの生徒さんは自殺未遂までしたそうですね」

「はい。冗談でできることじゃないでしょう。三室は潔白だと、僕は思います」

先輩警備員は困っているようだった。

「私もねえ、思春期の子供さんを手酷《てひど》く傷つける気はないのです。学校の方はどう処理されるつもりですか」

「校長と、学年主任の先生と相談して、僕に一任してもらいました。三室の両親も、それで納得してくれています」

「ははあ、親御さんも」

「そりゃおかしい」と、鼻声が割って入った。あの鼻炎警備員だった。

「親がここへ乗りこんできて、娘は無実だって言い張るならまだ話はわかる。でも、すんなり引き下がられたんじゃねえ。親の方も、娘の手癖が悪いことを承知してて、臭いものには蓋を決め込んでるんじゃないのかね」

僕の持ち主は、椅子を蹴飛ばさんばかりの勢いで立ち上がった。だが、相手も頑固だった。僕の持ち主をさえぎるようにして、

「言っておくがね、先生。俺はこの目で見たんだ。あの娘は油断のならない子だよ。すぐメソメソ泣いて、か弱そうに見えるが、あれはしたたかだね」

「それは、あなたがそういう目で子供を見ているから、そう見えるというだけですよ」

「気の毒な先生だよ」と吐き捨てて、鼻炎警備員は立ち去った。

しばらくして、先輩警備員が言った。

「難しいところですが、ここは私の判断に任されていますので、先生、私はあなたを信じることにしますよ。今回のことは当方のミスということで処理します。申し訳ありませんでした」

僕の持ち主は、先輩警備員と握手をした。

その週の週末、僕の持ち主は北海道へ行くことになった。三室直美を両親のもとへ送ってゆくのである。

直美は、病院には二日ほどしかいなかった。あとは伯母さんの家で療養していた。そして、上京してきた母親が、一緒に北海道へ来てはどうかと誘っても、その時にはうんと言わなかったのだ。それが、週末になって、やっぱり両親のところへ行きたいと言い出し、しかも、今度のことの経緯をよく知っている宮崎先生に一緒に来てもらいたい、両親ともよく話し合ってもらえるから——という「おねだり」をしたのだった。僕の持ち主も、担任としてそこまでするべきかどうか、かなり迷ったようだった。まして、臨月の邦子さんの身体も心配だ。今日明日にも生まれるかもしれないのだから。

結局、断をくだしたのは、その邦子さんだった。

「行ってあげなさいな。ご両親ともよく話をした方がいいし」

そして、少し皮肉な口調で付け加えたものだ。「あなたがついていかなかったせいで、また自殺未遂でもされたら困るわ」

そんなわけで、僕の持ち主は羽田空港へと向かった。

三室直美は、声の調子から推して、ずいぶんと元気を取り戻しているようだった。いくぶん、はしゃいでさえいる。二人は搭乗手続きを済ませ、僕の持ち主が先に立って進んだ。

トラブルがあったのは、金属探知機を通り抜けるときだった。僕の持ち主は問題なかったのだが、三室直美が通ると、探知音が鳴るのである。

二度やってみて、係員が、苦笑まじりに言った。

「おかしいですね。ちょっとごめんなさい。ウォークマンでも持ってるなんてこと、ない？」

「ありませんよぉ」と、直美も笑っている。

相手は高校生の女の子だ。係員の方もあたりが柔らかかった。身体検査をしているようだが、「素敵な格子縞のジャケットね」なんて言っている。

「おかしいわね。何もないみたい」

だが、探知音はまだ鳴り響く。

「ジャケットを脱いでみてくれる？」

直美は言われたとおりにしたらしい。係員がジャケットを裏返し、そして——

何かが通路の床に落ちる、かちんという音が聞こえた。

僕はいつものように、持ち主の背広の内ポケットにおさまっていた。だから、すぐにわかった。彼の心臓がどきんとしたことが。

すぐには、誰も何も言わなかった。やがて僕は、事情を知らない係員の、明るい声を聞いた。

「まあ、可愛い。小さい赤い自転車ね。これが反応してたんだわ」

直美が、万引きの疑いをかけられたときに着ていた格子縞のジャケット。フラップのついたポケットは、ボタンで蓋をされていた。

偶然、ものが飛び込むなんてありえない。

直美が大声で泣き始めた。

今度は、僕の持ち主も、すぐには彼女を慰めようがないようだった。

「目立ちたがり屋なのよ」と、邦子さんは言った。「あなたにかまって欲しかったんでしょう。可哀想だと思うけど、歪《ゆが》んでることは歪んでるわね」

「なんだか、教師を続ける自信が失くなってきたよ」

僕の持ち主はがっくりしている。

「三室が嘘をついてたなんて……自殺未遂までしたっていうのに……」

邦子さんは慰めるように言った。「あのね、自分の望みをかなえるためだったら、多少は身体を張って嘘をつくってこと、あるわよ。彼女の傷が浅かったって聞いたとき、わたし、すぐピンときたもの」

僕の持ち主は髪をかきむしっているようだ。

「でも、忘れないでよ。あなたのそういう純粋なところ、わたしは大好き。それに、生徒たちにだって、決して悪い影響は与えないと思うわ。宮崎先生がだまされた——なんて、笑う生徒はいないと思う。みんな、それなりに感じるところはあるはずだもの」

難しいのは、人を信じることの、兼ね合いだ。だまされても信じてあげることの意味を、生徒たちがくみ取ってくれているといいのだけど。

僕の持ち主は、このことを、しばらく引きずってしまったようだった。ホント、純情なのだ。

それから数日後のこと。例のごとく邦子さんが録《と》っておいたビデオを観ていて、僕の持ち主は声をあげた。

「邦子さん、これ、これ――」

「なあに？」

「これ、この写真」

僕は棚の上からテレビを観た。画面では、中学生ぐらいの男の子が、ジーパンにTシャツ姿で、両手でピースサインをつくって映っている写真がアップになっている。

子供時代の塚田和彦の一場面、というわけだ。

「これがどうしたの？」

僕の持ち主は、ビデオを一時停止にすると、指差した。

「この写真の背景に、石を積んだケルンが映ってるだろ？　これ、テツの墓だよ」

邦子さんは仰天した。「本当？　わかるの？」

「わかるさ。忘れるもんか。塚田と二人で石を積んで――僕はぼろぼろ泣いたんだ。塚田ももらい泣きしてた。写真なんか撮らなかったたし、撮ったとしても、こんなにニコニコ笑ってピースサインなんか出してるわけがないよ」

ビデオを再スタートさせると、音声が戻り、声が聞こえてきた。

「これは、和彦と二人でピクニックに行ったときのものです。息子は中学二年生でしたが、私より山道をよく知っていて――」

中学二年生。ということは、テツのお墓をつくったあとのことだ。背景のケルンに間違いはない。

しゃべっているのは塚田和彦の父親だった。息子がどんなに可愛く利発な少年だったかを、懸命に訴えかけている。

「ここは息子のお気にいりの場所でして、眺めがとてもいいんです。このケルンも、息子がつくったものだと言っていたのを覚えています。〈巧くできてるでしょう?〉と自慢して、こんなにうれしそうに写真に映ってるでしょう?」

僕の持ち主は、ぽかんと口を開いていた。

「なぜだろう?」

そう。なぜだよ?

「なんで、塚田はテツの墓の前で、こんなに得意満面に笑ってるんだろう?」

そのあと、僕の持ち主の頭のなかを去来した考えを、僕はあんまり知りたくない。でも、いやでも思い浮かぶのだ。

吃音癖のある、孤独でさえない少年。犬だけが友達。そんな少年が、大切な友達である犬を失って嘆いているとき、力になってやる。そして、相手を自分に心酔させる――さぞ、気分がよかったろう。気持ちがよかったはずだ。ちょうど、僕の持ち主から同情と心遣いとを勝ちとった三室直美がはしゃいでいたように。

人の心を、自分の手のなかでころころと動かすのは、何よりも面白い遊びであるに違いない。

だから、塚田和彦は得意満面で笑ってたんじゃないか。テツの墓は、和彦に心酔する卑小な友人を獲得した記念碑のようなものだったのだから。

もう一歩進んで考えたならば、そもそも、孤独だった少年から唯一の友であるテツを取り上げたのも、和彦の仕業だったのじゃないだろうか？

賛美者を得る、お膳立てをするために。

テツを葬ったのは、和彦のお気にいりの場所、彼だけの秘密の場所だった。

戦利品を隠すための。

僕の持ち主が、僕と同じように考えたのかどうか、それはわからない。確かなのは、その週末、邦子さんを実家に預けて、彼が故郷の町へ向かったということだけだ。

出がけに、彼は彼女にこう言った。

「バカみたいな話なんだ。根拠なんかないんだけどね。でも、三つ子の魂百までもっていうし、とにかく頭にこびりついて離れないもんだから」

彼は丘に登った。テツの眠る丘に。二十四年の歳月は、地形を変え、道を動かし、僕の持ち主の判断を迷わせた。彼は結局、テツのお墓までたどりつくことができなかった。

だが、夕暮れになって、駅の近くのレストランで足を休めていた彼は、とんでもない報らせを耳にしたのだった。

塚田和彦の故郷の取材に来たのだろう、ある民放局のクルーが、レストランで同じように休憩をとっていた。そこへ、情報を集めに出ていたメンバーのひとりが、息急《いきせ》き切って戻ってきたのだ。

「おい、ナンバープレートが出たぞ！」

一同は色めき立った。

「どこだ？」

「北側の丘の上の造成地だよ。作業員が発見したんだ。上を下への大騒ぎだぜ！」

造成地——と、僕の持ち主はつぶやいた。あの丘は、今造成されているのだ。

「やっぱり、プレートもそこにあったんだ……」と、僕の持ち主は言った。それで僕は悟った。彼は今日、ケルンのそばにプレートがあるかもしれないと思ってやってきたのだ。

三つ子の魂は百までもっていうから。

「すみません」

うわごとのような口調で、僕の持ち主はクルーの誰かに訊いた。

「ナンバープレートが発見された場所の近くに、石を積んだケルンがあったでしょう？ あったはずだ。違いますか？」

戸惑ったような沈黙のあと、最初に報らせを運んできた声が答えた。

「ええ、ありました。そこを壊したとき、プレートを発見したそうだから」

そこは塚田和彦のお気にいりの場所。

戦利品を隠す場所。

うまくやったと、笑い声をたてる場所。

僕の持ち主はレストランを出ると、のろのろと駅へ向かった。

(自分の望むことのために、身体を張って嘘をつくことだってあるわ)

二十四年前、ずぶ濡れになってテツを探してくれた塚田和彦。

ずぶ濡れになって。

まるでそれを再現するかのように、雨が降り始めていた。

証人の財布

1

〝ペルソナ・ノン・グラータ〟——その意味は、「招かれざる客」。入口のドアを開けたとき、待合室に流れていた曲だ。

近頃は、こういうサービスをする医院が増えてきた。長い待ち時間を少しでも過ごしやすくし、同時に患者をリラックスさせるために、ＢＧＭを流すのだ。なかなか気が利いていると思う。

わたしの持ち主が通っているこの歯医者さんは、どうやら凝り性であるらしく、時間帯によって選曲が違っている。午後一時から五時ぐらいまでの、子供たちがよく来る時間帯には、「小犬のワルツ」や「トルコ行進曲」などの、軽い感じのクラシック音楽。「みんなのうた」が流れているときもある。そういえば、大人のあいだでもヒットした「一円玉の旅がらす」という歌を、わたしとわたしの持ち主は、この待合室で覚えたのだった。

午前中の、主婦やお年寄りが多い時間帯には、有線放送を流している。歌謡曲やポップスがいり交じって聞こえてくるので、歯医者の待合室というよりは、美容院のような感じになってしまい、ちょっと面白い。

夕方から夜にかけては、勤め帰りのサラリーマンやOLが多くやってくるので、ぐっとモダンな感じの選曲となる。それで今は、〝ペルソナ・ノン・グラータ〟というわけだ。

夕方六時をすぎたところで、待合室には、わたしの持ち主のほかに先客のいる気配はなかった。

わたしの持ち主は、靴を脱いでスリッパに履きかえると、わたしを開け、診察券を取り出して、窓口に出した。

「こんばんは。お願いします」

顔を出した受付の女性に声をかけ、それからこう言った。

「ねえ、待合室にテレビを置いたんですね」

わたしは、おやと思った。わたしは、持ち主が愛用している小さなゴブラン織りのバッグのなかに入れられているので、周囲を見ることができないのだ。

「ええ、そうなの」

受付さんの、聞き慣れた明るい声が心地よく響いてきた。

「午前中に来る患者さんたちから、置いてもらえないかって頼まれて」

「まあ……先生、優しいですね」

「プロパーにもらったとかいう液晶テレビですもの。無料《ただ》よ、無料」

診察室の方から「ごほん」という咳払いが聞こえてきて、受付さんとわたしの持ち主は一緒に吹き出した。

「でも、どうしてここにテレビが要るのかしら。家に帰ればいくらでも観られるのに」

すると、受付さんは苦笑まじりに言った。

「ワイドショーを観たいんですって。ほら、今あの事件で毎日大騒ぎしてるでしょう」

受付さんの言う「あの事件」とは何のことなのか、わたしにはすぐわかった。わたしの持ち主にもわかったはずだ。彼女はぎくりとした。動揺が、細い手首を通して伝わってきた。

「あの塚田って男が本当に奥さんを殺したのかどうか、お年寄りも奥さんたちも一緒になって、毎日そのことばっかりしゃべってるわ。みんな刑事や探偵になっちゃったみたい」

ホント、面白いですね——気軽な口調でそう答えてはいるけれど、わたしの持ち主は、決して面白がってなどいないはずだった。

その理由を、わたしだけは知っている。彼女は誰にも話していないけれど、わたしは知ってる。

わたしは、わたしの持ち主、木田恵梨子《きだえりこ》の財布です。

わたしと恵梨子さんとのつきあいは、まだ一年ぐらいのものだ。彼女がわたしを買ってくれたのは、去年の秋のこと。三年間勤めた旅行代理店を辞めて、ささやかな退職金をもらったときのことだった。

恵梨子さんがわたしを買ったのは、彼女のお母さんが、こう言って薦めたからだった。

「あなたはこれから主婦になるんだから、使いやすいお財布をひとつ買ったら？　多少見てくれが悪くても、丈夫で、小銭がたくさん入って、取り出しやすいようなヤツをね。ブランドものは、もうよしなさいよ」

それはまことに適切な助言だったと思う。素直な恵梨子さんは、お母さんの言葉にしたがって、わたしを買ってくれた。財布というよりは、大きながまぐちに札入れがくっついているような形のわたしを。

そう、恵梨子さんは、結婚するために会社を辞めたのだった。お式は今年の十一月の末の予定だから、あと二週間というところまで迫ってきている。花嫁修業と、新生活のための準備には、いろいろとお金がかかるが、今までずっと、そのお金を、恵梨子さんはわたしから出し入れしてきた。わたしは逐一、それを見てきた。だから自信を持って断言するが、彼女はいい奥さんになると思う。

恵梨子さんの婚約者は、高井信雄《たかいのぶお》という人だ。恵梨子さんよりも七歳年上の三十歳。古風なことに、この二人はお見合いで知り合ったのだけれど、いわゆる〝見合いしてから恋愛してる〟タイプで、二人きりでいるときなど、もうどうしようもないほど盛り上がっている。いいなあ、と、わたしは思う。恵梨子さんのために。

実用本位につくられているわたしのような財布には、持ち主を見る目ができている。わたしには、なよなよ型の恵梨子さんには、真面目な男の人と結婚して、早く家庭に入ることが、いちばんの幸せだとわかっていた。短いつきあいだけれど、ちゃんとわかる。

高井さんは、年下の恵梨子さんのことが、もう本当に可愛くて仕方がないみたいだ。三十歳といったらそこそこ分別もあるはずだし、彼は頭の悪い人でもないのだけれど、案外こういう男の人ほど、恵梨子さんみたいな女性にはメロメロになってしまうものなのだろう。これでまた、恵梨子さんが彼女そっくりの可愛い赤ちゃんなど産んでごらんなさい。高井さんは家族愛の爆弾みたいな人になってしまうはずである。

婚約から挙式まで、一年以上の間があいてしまったのは、高井さんがおそろしく忙しい人で、なかなか巧《うま》く時間がとれないからだった。十一月末の挙式だって、万が一大きな事件が起こったら、最悪の場合は、花婿欠席のまま行なわなければならないかもしれない。彼としては、〝恵梨ちゃん〟のために、極力そんな事態にならないようにするつもりだろうが、これればかりは保証できない。

なぜなら、高井さんは新聞記者なのだから。それも大きな新聞社の社会部の、〝遊軍〟とかいうポストにいるらしい。どんなことをしているのか、わたしのような財布にはわからないけれど、とにかく多忙であることには間違いがない。彼の仕事ぶりを知るためには、彼の財布とコンタクトをとってみるのがいちばんなのだけれど、今のところ、わたしはそのチャンスに恵まれないままだ。

こうして、優しい両親と、忙しいけれど、誠実な愛情を注いでくれる婚約者に囲まれて、恵梨子さんは本当に幸せだった。だから、わたしも幸せだった。〝だった〟という過去形を使わなければならないのは、とても辛い。

現在の恵梨子さんを悩ませていること――ひょっとすると、この幸せを壊してしまうことに繫がりかねない出来事が起こったのは、昨年の暮れ、十二月十五日のことだった。ただ、その小さな出来事が、これほど大きくふくらんでしまうなんて、当時はまったく考えもしなかったし、現実に、それが大事へと発展してきたのは、今年の夏ごろからだったのだけれど。

ともあれ、話をまず、十二月十五日の一件へと戻そう。闇の底を木枯らしが吹き抜ける、とても寒い夜だった――。

2

その日、恵梨子さんは、自分で車を運転し、結婚して山梨《やまなし》県甲府《こうふ》市の郊外に住んでいる友達を訪ねた。彼女は、恵梨子さんとは子供のころから仲のよかった友達で、まもなく赤ちゃんが生まれることになっていた。恵梨子さんはお見舞いかたがた、お祝いの品を持っていったのだ。それは、大きなゆりかごだった。そういう荷物があったから、恵梨子さんは電車を使わず、車を出したというわけだった。

もともと、彼女は車の運転に自信を持っている。万事、人に任せきり頼りきりの恵梨子さんが、イニシアティブをとって行動するたったひとつのことが、ドライビングだと言っていい。

これには、いじらしい理由があった。恵梨子さんは、ずっと以前から、こう考えていたのだ。将来結婚してマイホームを構えるとしたら、やっぱり都内は無理だろう。近郊の、それも駅から離れたところに住むことになるかもしれない。だったら、通勤する夫を送り迎えするためにも、買い物や、やがて生まれてくる子供を学校へ通わせるときのことを考えても、車の運転は上手にできた方がいい。うんと経験を積んで巧くなっておこう――と。

高井さんと婚約した直後、彼女は彼にこの考えを話し、さらに付け加えてこう言った。

「地方の支局へ転勤になることもあるんだし、その点でも、車は絶対に不可欠でしょう？　わたし、いい運転手にならなきゃね」

これを聞いた高井さんは、「べつにA級ライセンスまで取らなくたっていいよ」などと笑っていたが、実はけっこう感動していたのではないかと、わたしは察している。

恵梨子さんは朝早くに東京を出て、昼前には友達の家に着いた。臨月を迎えている女性と、結婚を控えた女性だ。つもる話はいろいろある。その友達のご主人も、恵梨子さんのことはよく知っており、心やすい人なので、最初から一泊させてもらう予定で、恵梨子さんは出かけてきていた。実際、話ははずみにはずんでしまい、三人で夜十一時すぎまで話し込んでいたのだった。

ところが、その時刻になって、友達が急に産気づいてしまった。

予定日より、三週間近く早い。友達のご主人は、いそいで彼女を車に乗せ、かかりつけの産婦人科医院がある甲府市内まで、夜道を走ることになった。そして恵梨子さんは、留守番をすることになってしまったのだった。

過去にも何度か訪ねてきたことのある家だし、親しい友のことだ。恵梨子さんは、これといって臆《おく》することもなく、この深夜の留守番を引き受けた。病院についた友達のご主人や、ご主人から連絡を受けた彼らの両親などから電話が掛かってくると、てきぱきと対応し、連絡役を務めた。初産の友達を心配しながらも、恵梨子さんの声は、生まれてくる赤ちゃんのことを思ってか、明るくはずんでいたように感じられる。彼女は、自分の未来のことも思い合わせていたのだろう。

そんなふうにして、深夜まで明かりをつけていたからだろうか。あの男が、恵梨子さんが留守を守っている家を訪ねてきたのは。

わたしはずっと彼女のハンドバッグのなかにしまわれていたので、あの男の顔は見ていない。ただ、玄関のチャイムが鳴り、友達夫婦のご両親でも駆け付けてきたのかと、急いで出てゆく恵梨子さんの足音を聞いた。そして、あの男の声を耳にしたのだ。

「夜分、申し訳ありません」と、その声は言った。丁寧な口調で、闊達《かったつ》な感じの声だった。

「このすぐ近くで、ガス欠で立往生してるんです。東京から来たものなので、この辺のことはまったく知らなくて、困ってるんです。電話を貸してもらえませんか」

恵梨子さんは用心深い女性だ。それに、ここは勝手を知らない町で、友達の留守をあずかっているときのことである。ドアチェーンをかけたまま対応していたことだろう。

当然、「はい、どうぞお使いください」などと答えるはずもなかった。見ず知らずの人間を家にあげるわけにはいかない。恵梨子さんは、賢く答えた。

「わたしは今、この家の留守をあずかっている者なので、申し訳ないんですが、一存ではちょっとお貸しできないんです。ただ、この家の方たちが、もうすぐ帰ってきますから、もしなんでしたら、それからもう一度おいでになってみてはいかがですか？」

自分は留守番だけど、すぐに人が帰ってくる。一人ではないぞ——と、念を押したというわけだ。もちろん、この男は本当に困っている旅行者であるのかもしれないが、そういう触れ込みで寄ってきた、危険な企みを隠した男であるという可能性もあるからだ。

すると、男はあっさり引き下がった。「そうですか。それじゃ仕方ないですね。夜分、ご迷惑をおかけしました」

その時、それだけのことだった。少しスリルはあったが、なんということもない。

そのあとすぐ、病院にいる友達のご主人から電話があった。

「まだ分娩室には入らないんですか？　朝までかかりそうなんですか。たいへんね……今、やっと一時をすぎたばっかりですよ」と、恵梨子さんが言ったことを、わたしは覚えている。つまり、あの男が訪ねてきたのは、午前一時ごろだったということだ。

赤ちゃんが生まれたのは、翌朝の七時ごろだった。連絡を受けた恵梨子さんは手を叩いて喜んだ。女の子だった。それからまたひとしきり電話が行き交い、八時ごろに、友達のお母さんがやってきた。恵梨子さんをねぎらうと、

「病院へ行ってやってくださいますか。顔を見てやって」

もちろん、恵梨子さんもそれは望むところだった。手荷物をまとめ、車を出すことにした。病院に寄ったら、そのまま、東京に帰るのだ。

そして、友達の家の前に停めておいた自分の車に近付いたとき、恵梨子さんは、あとで

問題になる〝証拠〟を拾った。

「あら？」と呟《つぶや》いて、彼女が地面にかがみこみ、なにかを拾いあげたこと。それを手にしばらく考えてから、辺りを見回し、「ゆうべの人だわ」と言ったことを、わたしは覚えている。つまりは、電話を貸してくれと言ってきたあの男が、何か落としていったのだろうと思ったのだ。

結局、恵梨子さんは、その拾ったものをバッグの内ポケットのなかに入れた。それは、キャッシュカードのようなものだった。その時は、たぶん、どこかで交番に届けるつもりだったのだろう。

ただ、赤ちゃん誕生の騒ぎにまぎれて、ケロリと忘れてしまったのだ。思い出したのは、東京に帰ってしばらくしてから、手帳を取り出そうと、バッグのなかをのぞきこんだときだった。

「あら、これ持ってきちゃった」

彼女は、びっくりしたように呟いた。ちょっと首をかしげ、カードを取り出して、裏表をよく見ている。カードの裏側には、細かい文字がびっしりと並んでいた。

「ああ、これなら、直接届けてあげてもいいわね」

彼女はそう言って、今度はそれを、わたしのなかの、小さな仕切りに入れた。それでわたしも、やっと、それがどんなカードであるかを知ることができた。

それは、どこかのクラブのメンバーズカードだった。「バイキング・クラブ」と書いてある。スポーツクラブか何かだろう。恵梨子さんの台詞から推して、彼女はこのクラブを知っているのかもしれない。

そして、そのカードの表側には、ローマ字で持ち主の名前が刻印してあった。

「KAZUHIKO　TUKADA」

その時はまだ、その名前の持つ意味を、恵梨子さんもわたしも、まったく知らなかったのだ。


それから数日後、買い物があって銀座《ぎんざ》へ出た恵梨子さんは、四丁目の交差点から少し昭和《しょうわ》通りの方へ歩き、やがて大きな新築のビルのなかへと入っていった。そこは広々としたロビーで、きれいな音楽が流れていた。バッグから取り出したわたしを手にして、恵梨子さんはフロントに歩み寄ると、わたしのなかの仕切りから、あの拾ったカードを出し、そこにいた係の女性に差し出した。

「あの、これ、落ちていたのを拾ったんですが」

係の女性は感謝の言葉を述べた。恵梨子さんはそれを途中でさえぎって、すぐにくるりと踵《きびす》を返した。まだまだ買い物するものがたくさん残っていたし、カードを拾ったときのいきさつがいきさつだ。恵梨子さんとしては、あまり関わりたくなかったのだろう。

それきり、彼女は忘れていた。カードのことも、そこに刻印されていた名前のことも、深夜に電話を借りに訪ねてきた男の顔も。

夏がやってきて、その男の顔と名前が、テレビのワイドショー番組などで、大々的に取り上げられるようになるまでは。

塚田和彦。今、日本中が彼のことを知りたがり、彼のことを気にしている。歯医者の待合室でさえも、彼の名前が聞かれるほどに。

彼は、愛人の森元法子と共謀して、保険金目当てにそれぞれの配偶者を含め四人の人間を殺したという疑いをかけられているのだった。

3

「ねえ、恵梨子。また無言電話があったよ」

歯医者さんから家に帰ると、恵梨子さんのお母さんが声をかけてきた。かすかに、心配そうな口調だった。

「いったい何かしらね。心当たり、本当にないの？」

恵梨子さんは元気なく答えた。「ないわ。きっと悪戯《いたずら》よ。今の電話機は、でたらめにかけた電話番号でも記憶してたりするでしょ？　だから、何度も続けてかけられるんだと思う」

「そうかしらね」お母さんは、考え込んでいるようだ。「そんなもんでしょうね。歯の方は、あとどのくらいかかりそう？」

「まだまだみたい。先生は、親知らずも抜いてしまいましょうって言ってるわ」

結婚する前に、虫歯がないかどうか調べて、もしあったらちゃんと治療しておきなさいと勧めたのは、お母さんだった。赤ちゃんができると、歯が弱るからね。

(気が早いのね)と笑った恵梨子さんだが、すぐに歯医者さんに通い始めた。わたしは、恵梨子さんのこういう素直なところが好きだ。

「なんだか元気がないわね。どうしたの？」

お母さんに尋ねられて、恵梨子さんはちょっと笑った。

「歯医者さんで歯を削られたあとで、元気な人なんていないでしょう」

「あら、だけど、中にはあのキーンていう音が好きな人もいるんだよ」

恵梨子さんはコートを脱ぐと、わたしの入ったバッグと一緒に、リビングにあるコートハンガーにかけた。お茶を一杯飲み、それから、一緒に夕食の支度にかかりながら、恵梨子さんとお母さんは、いろいろな話をした。料理の味付けのこと、これから買い揃えなければならないもののこと、当日のお天気の見込みのこと——

「本当に、新婚旅行はなしでいいの？」

高井さんと恵梨子さんは、新婚旅行には行かずに、年末年始の休みを利用して、高井さんの故郷の福岡へ行くことになっている。恵梨子さんはうなずいた。

「高井さん、どこへ転勤になるかわからない人でしょう？　今のうちは、なるべく両方の両親と頻繁に行き来していたいって」

「うちにもよく顔を出してくれるしね」と、お母さんは嬉しそうに言った。「いっそのこと、お婿さんに来てくれないかねえ」

これは本音だろう。恵梨子さんは一人娘なのだ。

二人はにぎやかに話し合いながら食事をつくった。やがて恵梨子さんのお父さんが帰ってきて、夕食を始めてからも、楽しそうな会話は途切れずに続いた。恵梨子さんの内心の憂鬱《ゆううつ》を知っているわたしには、彼女の声のトーンが少し高すぎて、ちょっと無理をしているような気がしてならなかったけれど、考えてみてもどうしようもない。わたしには何もできないのだ。

夕方のニュースのなかで、塚田和彦の名前が出てきたとき、恵梨子さんはハッとしたようだった。

「連日お伝えしている保険金交換殺人疑惑につきまして――」

「なんだ、またこの話か」と、お父さんが言った。「うちの事務所でも、女の子たちやパートのおばさんたちが、寄ると触るとこの話題で騒いでるぞ」

「ひどい話だもの」お母さんが少し険しい声を出した。「どうして警察は、早く逮捕しないのかしらね。こんな連中を放っておいていいわけないじゃないの」

恵梨子さんが小さく言った。「証拠がないのよ」

「あら、証拠ならあるでしょう。このあいだ、ナンバープレートが見つかったとか言って騒いでたじゃないの」

恵梨子さんのお母さんが言う「ナンバープレートの件」というのは、四つ目の死体に絡んだことだ。ホステスの葛西路子の死体が発見された雑木林の近くで、不審な車が数回目撃されているのだが、その車が、塚田和彦の愛車とよく似ているのに、ナンバーは違っていたという件だ。目撃されたナンバーは別の車からはずされ盗まれたもので、和彦のものではないのだった。

ところが、問題のそのナンバープレートが、十月の末、和彦の故郷の山中から発見された。警察の追及に、ついに、和彦は自分がそれをそこに埋めたことを告白したが、その理由については、こう語っている。

「十月の中頃でしたか、雑木林で目撃された車のことが話題になっているとき、僕の家のガレージに、誰かがあのナンバープレートを捨てていったんです。本当です。その時すぐに警察に届け出ればよかったんだけど、絶対に信じてもらえないと思って、こっそり埋めて隠すことにしたんです。信じてください！　僕は無実だ。誰かにはめられて、妻を殺された上に、罪をなすりつけられそうになっているんですよ」

発見されたナンバープレートには、はっきりと識別できる指紋は残されていなかったと、警察は発表している。このため、塚田和彦も森元法子も、重要参考人として厳しい取り調べを受けてはいるものの、まだ逮捕はされていないのだった。

でも、マスコミも世間も、誰一人、彼らの言葉を信じていない。二人が共謀して四人を殺したのだと信じている。

いや、そう期待している。

「なんでもいいから早く逮捕しちゃって、それからゆっくり調べればいいじゃないの」

ちゃんとした常識人である恵梨子さんのお母さんでさえ、こんな台詞を吐いているのだ。みんな、塚田和彦と森元法子を殺人犯だと決めてかかっている。

たしかに二人には疑わしい点が多い。わたしもそう思う。でも、二人がこれほどに世間に憎まれている大きな原因は、彼らに人間的な魅力がないからだろう。塚田は風采《ふうさい》のいいスマートな男だし、金持ちでもある。法子は若いし美人だ。でも、何かが欠けているという感じがして仕方がない。彼らが、それぞれ結婚していながら浮気をしていたことを、あっけらかんと認めていることも、率直であるというよりは、図々しいという印象を与えているようだ。

でも――

どれほど図々しく、どれほど好ましくない人間であっても、だからそれで殺人をしただろうと決め付けることはできない。絶対に。今、世間はそれを忘れてしまっている。

だから恵梨子さんは苦しんでいるのだ。

一連の殺人が、もし本当に和彦と法子の企んだことなのだとしたら、四つの殺人のうち、どれかひとつでも、彼ら二人にアリバイが成立し、二人のどちらもその殺人を犯すことができなかったということが証拠だてられたら、事件は根こそぎ引っくり返ることになる。どれほど無責任な人でも、「その時だけ誰かを雇ったのさ」などとは言えないもの。

そう、だから問題なのだ。

すべての発端となった、森元隆一殺しが起こったのは、昨年の十二月十五日深夜。午後十一時から午前二時までのあいだに、彼は東京で殺されている。塚田和彦のアリバイが確認されていないので、彼がそれをやったのだと思われている。

だけど、ちょうどその同じ日の夜、深夜一時ごろに、甲府市の郊外にある友達の留守宅をあずかっていた恵梨子さんを、「電話を貸してくれ」と言って訪ねてきたのは、塚田和彦だったのだ。彼自身は、それを忘れてしまっているようだけれど。

週刊誌で彼の写真を見たとき、恵梨子さんはすぐにそれを思い出した。顔も、彼が落としていったメンバーズカードのことも。

でも、その時にはもう手遅れだったのだ。こういう三面記事的な事件にあまり興味を持たない恵梨子さんは、塚田と法子の事件のことを、今年の夏の終わりごろになって、やっと知った。その時にはもう、世論は二人を犯人とする方向へ、固まってしまっていた。

誰も彼もが、そう言っている。叫んでいる。信じている。

恵梨子さんは、塚田和彦のアリバイを証明してあげられる。甲府にいた彼に、東京の森元隆一を殺せたはずがない。時間的にいって、絶対に無理だ。でも、今になってそれを言い出せば、どんな騒ぎに巻き込まれるかということも、充分承知している。マスコミに追われ、追及され、責められ、世間の人たちにも好奇の目で見られることだろう。

しかも、恵梨子さんはこれから新聞記者である高井さんと結婚しようとしているのだ。大手の新聞社では、この保険金殺人疑惑についての報道をずっと差し控えてきたのだけれど、ナンバープレートが出た時点で、塚田と法子をめぐる疑惑の数々について、いっせいに取り上げ始めた。高井さん自身、今、特別取材班の一員となっている。

そのなかで、どうしたら恵梨子さんが発言できる?

今、塚田と法子を断罪することで沸き立っている世間にとっては、恵梨子さんこそが、〝ペルソナ・ノン・グラータ〟――招かれざる客なのだ。

4

翌朝目を覚ますと、恵梨子さんの右のほっぺたが腫《は》れあがってしまっていた。

虫歯のほうは大したことがなくて、もうすぐ治療も終わる。腫れたのは、生えかけの親知らずだった。歯医者さんが以前から気にしていたものだ。

夜中から痛み始めてしまい、おかげで、恵梨子さんはほとんど眠ることができなかったようだ。悪いことに、深夜の二時ごろにまた無言電話がかかり、それでまた苛立ったりして、恵梨子さんには辛い一夜だった。

朝になると、とるものもとりあえず、恵梨子さんは歯医者さんに走った。腫れがひかないうちは抜くことができないと言われて、泣きそうな声を出した。

「お式のときもこんな顔だったら、ウェディングドレスが着られない」

歯医者さんは笑った。「大丈夫、あと二週間でしょう？　それまでには治りますよ」

「でも、ゆうべみたいに一睡もできないと、困るんです。これから予定がいろいろあって、すごく忙しいし……」

ちょっと思案してから、歯医者さんは言った。「じゃあ、特別な痛み止めをあげましょう。ただし、この薬はすごく強力なんで、飲むとすぐ眠くなるんです。睡眠薬と同じですからね。気をつけて服用してください」

家に帰ると、お母さんが心配顔で待っていた。

「よくまあ丸く腫れたものね」

「どうしよう。今日、区役所に行くつもりだったの」

戸籍謄本をとりにいくのである。婚姻届を提出するとき、一緒に添えるのだ。

「それぐらいなら、お母さんが行ってあげるわよ。恵梨子は寝てなさい。このところずっと忙しかったから、疲れてもいるのよ」

恵梨子さんは部屋に引っ込み、お母さんは出かけていった。わたしはいつものバッグに入れられたまま、定位置のハンガーからぶらさがっていた。

三時ごろ、恵梨子さんは一度起き上がり、冷蔵庫を開け閉めした。何か飲み物をとったのだろう。ついでに、テレビもつけた。ちょうどワイドショーが始まったところだった。やはり、塚田和彦のことが気になってるのだ。恵梨子さんは時々チャンネルを切り替えながら、彼の事件の話題を追いかけて観ている。

現在のところ、状況に変化はない。疑いはますます濃厚で、彼は追い詰められている。森元法子のほうも、連日の事情聴取に疲れ切っているらしい。

「やはり、犯罪は引き合わないということですな」

司会者の一人が、教訓めいた口調でそう言った。

つぎつぎに登場する、二人の昔の友達、近所の人たち、会社の同僚、親戚――みな、二人にとって不利な感じのことばかり言っている。森元隆一が殺された夜、法子と一緒にいたという彼女の友達は、最初のうちは彼女をかばうような発言をしていたらしいのに、今ではすっかり寝返って、「わたし、彼女のアリバイづくりに利用されたんです」などと言っているという始末だ。

一人だけ、和彦の味方になっているのは、レストラン「ジュヌビエーブ」の共同経営者である畠中氏だった。彼はもごもごと歯切れの悪い話し方をする中年男性だけれど、レポーターの失礼な態度にも腹を立てる様子もなく、淡々としていた。

「塚田は、非常に頭のいい人間です」と、彼は言う。「私は最初、彼をサブマネージャーとして雇ったんですが、店の経営について実に適切な手を打ってくれるし、感覚もいい。ジュヌビエーブがここまで大きくなったのは、彼の功績です。資本出資していない彼を共同経営者にしたのも、彼ほどの人材を他所《よそ》にとられたくなかったからですよ」

畠中氏が、資金力のない塚田和彦を共同経営者にしていることにも、世間の疑いの目は向けられていた。いわく、彼は塚田に何か弱みを握られているのではないか。あるいは、騙されているのではないか。彼と塚田とはおかしな関係にあるのではないか。

「塚田は女性関係が派手な男でしたし、私は法子さんの存在を知っていましたから、彼が早苗さんと結婚するときには、正直言って、不安でした。しかし、だからと言って塚田が早苗さんを殺すわけはないし、万が一、彼がそんな大それたことをやるとしたら、こんな、すぐにも疑われるようなやり方はしませんよ。とても頭の切れる男なんだから。これほどたくさん疑惑のタネが出てくるということ自体、塚田の潔白を証明しているようなものだ」

じゃ、誰が犯人だと思うんですかというレポーターの詰問に、畠中氏は答えた。

「わかりません。塚田の主張しているように、彼に恨みを持っている人間が、彼を陥れようとしているのかもしれませんな」

するとレポーターは言った。「塚田が、それほど人に恨まれるような悪辣《あくらつ》な人間なんだったら、殺人だってしかねないでしょう」

畠中氏は、呆れたように言った。「そういうのを循環論法と呼ぶんじゃないですか」

「いやに彼をかばうんですね。ひょっとしたら、あなたも今度の件に一枚嚙んでるんじゃないんですか？」

あまりの無礼な質問に、畠中氏は返事をしなかった。

画面がスタジオに切り替わったのか、女性司会者の声が聞こえた。「畠中共犯説というのは、考えてもみませんでした。新鮮ですね」

もう、エスカレートする一方だ。恵梨子さんは、ここでテレビのスイッチを切った。

彼女が毎日すがるような思いで待っているのは、ほかの誰かが現われて、塚田和彦の潔白を立証してくれることなのだ。恵梨子さんだって、彼のアリバイについて口をつぐんでいることで、どれほどにか心が痛んでいるのだ。わたしには、それがよくわかる。もしもわたしが口をきくことができるのなら、止め金を鳴らしてまくしたててあげるのに。わたしは、彼が落としたメンバーズカードを持っていたことがあるのだもの。

ちょうどそのとき、電話が鳴った。恵梨子さんはすぐに出た。

「もしもし？」

おや、また無言電話であるようだ。

恵梨子さんは黙って受話器を置いてしまった。それから言った。

「あら、おかえりなさい。どうしたの？　そんな顔して」

お母さんが帰ってきたのだ。足音もたてず、ひっそりと。どうしたのだろう。

「恵梨子ちゃん」と、お母さんは言った。「あなた、三上行雄《みかみゆきお》という人を知ってる？」

「ミカミユキオ？　知らないわ。誰？」

ぐっと唾を飲み込むような音をさせてから、お母さんは言った。「戸籍上では、今年の春に、あなた、その人と結婚してることになってるのよ」

5

それから数日間、恵梨子さんの世界は、激震にみまわれた。まるで、頭の上に空が落ちてきたようなものだ。

いちばん落ち着いていたのは、高井さんだった。

「こういう事件は、さほどめずらしくないんですよ」

冷静な声で、激高する恵梨子さんの両親と、困惑する自分の両親（福岡からスッとんできたのだ！）と、唖然《あぜん》としている仲人に説明をしてくれた。

「知らないうちに勝手に婚姻届を出されて、赤の他人と結婚したことにされていたという例は、今までにもあるんです。もちろんとんでもない災難ですが、大丈夫、ちゃんと訂正することはできます」

勝手に婚姻届を出すなんて、もちろん法に触れることだ。所轄の警察署から刑事が二人やってきて、いろいろと聞き込んでいった。「ミカミユキオ」が誰であるかを突き止めてくれたのも、彼らだった。さすがは本職だ。

「お嬢さんが勤めておられた旅行代理店の客だったようですね。記憶にありませんか？何度かツアーのパンフレットをもらいにきたりしていたようですが、ほかの窓口係の女性が覚えていましたよ」

三上行雄は二十六歳。婚姻届に記載されている住所には、現在は住んでいない。行方不明なのだ。本籍地には両親がいるが、もう二、三年音信不通だという。

「ちゃんとした職にもつかないで、そのくせ大ボラばかり吹いてたようですな。思い込みの強い、まあ一種のパラノイアなんでしょう。故郷でも、高校時代に一度、交際を断わった女の子に切りだしナイフで切り付けて、軽い怪我を負わせています」

恵梨子さんは掛け値なしに美人だし、代理店の窓口にいても、よくデートの誘いを受けたりしていたから、三上行雄が彼女を見初《みそ》めていたとしても、不思議はないと思う。だけど、そこから勝手に妄想をふくらませて、婚姻届まで出してしまうというのは異常だ。

恵梨子さんは、ここ数カ月のあいだ続いている無言電話のことも話した。刑事は「うーん」とうなった。

「ひょっとすると、それも三上の仕業かもしれませんね。我々の方でも、お嬢さんの身辺を警護するようにしましょう」

これでひと安心と思ったが、高井さんは油断しなかった。

「こういう場合の警察の警護は、それほどあてにならないよ。一人で出歩かないようにね」

いちばん肝腎な人である彼が、終始優しく、理性的に行動してくれたので、わたしは本当に安心した。皆がみな、高井さんのように考えているとは限らないからだ。

恵梨子さんの両親は、もちろん娘を信用しているけれど、それでもやっぱり、一抹の不安があるのだろう。二人とも常識人だからこそ、「勝手に婚姻届を出された」などという事実を認め難いのだ。その気持ちはわからないでもない。

「なあ、恵梨子、おまえ、本当にその三上って男とはなんでもなかったんだろうね？」

そう問われて、さすがの恵梨子さんもカッとなったようだった。

「わたしを信じてくれないの？」

「信じてるわよ。信じてるけど……」

「三上って男は、頭がどうかしてるのよ」

「本当にそうなんだろうね……」

これだもの、高井さんの両親だって、心の底ではどう考えているかわかったものじゃない。早く挙式の日が来てくれないかと、わたしはそれだけを願っていた。


お式の当日は、好天に恵まれた。空気がくっきり冷たく澄んだ、晩秋の朝だ。

花嫁の恵梨子さんは、支度のために、家族よりも早く家を出る。ハンドバッグに入れられ、タクシーに乗りこんだ彼女の膝の上に置かれて、わたしは彼女と共に行動できることを喜んでいた。

結婚式場について、タクシーを降りるとき、わたしを開けてお金を払う恵梨子さんに、運転手さんが声をかけた。

「今日、ご結婚なさるんですか？」

「はい」

「そう。いい日和ですね。お幸せに」

なんていい運転手さんかしらと、わたしは思った。恵梨子さんも「ありがとう」と答え、車から離れて歩きだしながら、小さく鼻歌をうたい始めた。

でも、次の瞬間——

素早い足音が近付いてきたかと思うと、恵梨子さんの身体が大きく揺れ、それからぐっと強《こわ》ばった。聞き慣れない男の声を、わたしは聞いた。

「ずっと待ってたんだよ。駄目じゃないか、オレから逃げちゃ」

すぐに、わたしにはわかった。三上行雄だ！

「あなた……三上さんね？」

震える声で、恵梨子さんは言った。相手は笑った。

「今さら何言ってるんだよ。オレの顔を忘れたの？　オレはきみの夫じゃないか」

快活そうな声なのに、ほんの少し、トーンがはずれているような気がする。調律の狂ったピアノが奏でる結婚行進曲だ。

「こっちへ来いよ。二人で遠いところへ行こう。逃げだすんだ」

「逃げだす？」

「そうさ。きみの頭の固い親が、オレたちの仲を裂こうとしてるんだ。しかも、ほかのヤツと結婚させようとしてさ。早く逃げよう」

三上は、恵梨子さんを捕まえて引きずるようにして歩きだした。恵梨子さんが声も立てられずいるのは、きっと何かで脅かされているからだ。

「ねえ、そのナイフをしまってくれない？　怖いわ」

やっぱりそうだ。ナイフですって！

「駄目だよ。これをしまったら、きみの親の手先がやってきて、オレからきみを奪っていっちゃうじゃないか。オレは、ずっと、ずっときみを見張ってたんだ。気づかなかったのかよ。見張って、きみと一緒に逃げだす計画を立ててたんだ」

ひょっとすると盗んできたものかもしれないが、三上は車を用意していた。わたしには見えないけれど、恵梨子さんがその車に乗せられる気配を感じた。シートを倒す音がする。どうしよう、きっとツードアの車で、恵梨子さんは、出口のない後部座席に押しこめられちゃったのだ！

車が走りだしたとき、恵梨子さんは突然大声をあげて助けを求めた。そばを誰かが通りかかったのかもしれない。でも、それは逆効果だった。車はすごい勢いでつんのめるようにして走りだし、三上の猫撫で声が聞こえてきた。

「騒いだって無駄だよ。きみはオレと遠いところへいくんだからね」

この男は完全に狂ってるのだ。恵梨子さんには逃れるすべもない。車は走り続け、叫び疲れた恵梨子さんが泣き始めても、いっこうにスピードを緩めなかった。

三上はカーラジオをつけた。流れてきたロックにあわせて、時々乾いた笑い声をあげた。

どれぐらい時間がたったのか。わたしにはわからない。恵梨子さんは、わたしを入れたバッグをしっかり握り締めていた。まるで、それが命綱であるかのように。

「ねえ、どこへ行くの？」

かすれた声でそう尋ねた。三上はただ「へっへ」というような声をたてただけだった。

「逃げたりしないから、わたしを助手席に座らせてくれない？　ここ、狭いの」

「駄目だ！」急に、怒ったような声を出して、三上は怒鳴った。恵梨子さんは縮みあがった。

「そうやってオレを騙して、オレから逃げようったって駄目だからな」

この男は、恵梨子さんと無理心中するつもりなのかもしれない。そう思うと、わたしは口金がガタガタ鳴りそうだった。狂った心の半分で、彼は恵梨子さんと相思相愛の仲だと思い込んでおり、正気の半分では、それは嘘だとわかっている。だから、恵梨子さんを強引に自分のものにして、ほかの誰にも渡さないためには、殺すしかない――。

どうしよう。どうしたらいい？

恵梨子さんはまた泣き始め、涙をふくために、バッグを開けた。わたしは、彼女の蒼白な顔を見た。そして、ハンカチをさぐる彼女の手が、わたしのすぐ隣りに入っている小さな紙袋に触れたとき、ぴくりとしたのを感じた。

そのとき、わたしにもわかった。彼女の考えていることが。

やがて恵梨子さんは、ぽつりぽつりと三上に話しかけ始めた。ここはどのへん？　とか、海が見たいわ、とか。少しずつ打ち解けた様子をつくって、怯えを隠して。

最初のうち、三上はあまり返事をしなかった。でも、恵梨子さんのやわらかな声に、彼女に執着している狂気の部分が飼い慣らされ始めると、答えてくるようになった。

「恵梨子、窓を開けろよ。風を入れよう」なんて、まるで恋人気取りだ。また鼻歌もうたいだした。

やがて、恵梨子さんは呼びかけた。「わたし、喉《のど》が渇いたわ」

三上の鼻歌が、ちょっと途切れた。

「なにか飲みたいな。自動販売機でいいから、買ってくれない？　車から降りなくたって、買えるでしょう」

「逃げたりしないな？」

「しないわ」

少し走ってから、三上は車を停めた。恵梨子さんは身構えて座り、彼が戻ってくるのを待っている。

三上はすぐに帰ってきた。

「そら。ジュースがいい？　それともコーヒー？」

「ジュースをちょうだい」

車はまた走りだした。恵梨子さんが、缶ジュースのプルトップを引く音が聞こえた。三上も缶コーヒーを開けたのか、同じような音が続いた。

車は、また走りだした。

恵梨子さんはジュースを飲んでいるようだ。そして、用心深く身体をよじり、三上の目を逃れながら、彼女の右手がバッグのなかにすべりこんでくると、さっきの紙袋に触れ、その中身を取り出し始めた。

その調子、頑張れ恵梨子さん！

紙袋には、恵梨子さんのかかっている、あの歯医者さんの名前が刷ってある。そう、彼がくれた、強い痛み止めが入っているのだ。親知らずが腫れて辛かったあの日、飲み残した錠剤が、バッグのなかに入れたままになっていたのだった。

恵梨子さんは、その錠剤を缶ジュースのなかに落としこんだ。

しばらくは、何も起こらなかった。たぶん、ジュースを飲むふりをしながら、錠剤が溶けるのを待っているのだろう。

やがて、三上に声をかけた。「ねえ、缶コーヒーも飲みたいな。取り替えてくれない？」

車が、ちょっとブレた。三上は驚いたのだ。

「なんだって？」

「あなたのコーヒーを飲ませて。こっちのをあげるから」

このバカ男、早く言われたとおりにしなさいよ！

そのときの三上の顔を、わたしは見てみたかった。ニヤついていたか、それとも、多少は残っている正気の部分が、恵梨子さんの言葉を訝《いぶか》っていたか。

とにかく、彼は缶コーヒーを渡し、ジュースを受け取ったようだ。

「ありがとう」と、恵梨子さんは言った。

「そっちのジュースも飲んでみて。美味《おい》しいけど、少し甘いみたい」

三上はその言葉に従ったようだ。

薬の効き始めたことは、車の揺れの変化でわかった。ふら……ふら……頭を振り、お尻を振る。

「恵梨子……これ……おかしい」

途切れ途切れの眠たげな声が聞こえたとき、恵梨子さんがぐいと乗り出す気配がした。

三上がどさりと横ざまに倒れる音が聞こえた。恵梨子さんが切れ切れに悲鳴をあげながら、懸命に足で蹴り、シートを乗り越えて運転席へ移ってゆく光景を思って、わたしは声援した。激しい揺れ、対向車のクラクション、バウンド！　そして恵梨子さんが「キャッ」と叫び、気がついたら車は停まっていた。

恵梨子さん。旦那さんや子供のためにと、運転上手になっていて良かったね。

6

恵梨子さんは眠っている。

ここは静かな病室だ。個室だけれど、周囲には高井さんや彼のご両親、恵梨子さんのお母さんがいる。

わたしは恵梨子さんの枕元にいる。まだバッグに入ったままなので、皆の声しか聞くことができないが、話の様子では、恵梨子さんの怪我も、たいしたことはないようだ。

「とにかく、無事でよかった」

これは恵梨子さんのお母さんだ。

「主人が今、刑事さんたちと話をしてます。三上のほうは、シートに倒れて寝ていたから、怪我もないようですよ」

ちょうどそこへ、その刑事さんが顔を出したようだ。お母さんが呼ばれて廊下へ出ていった。それを待っていたかのように、高井さんの母親が言った。

「結婚式場の前からさらっていくなんて、普通の人間のすることじゃないね」

「まったくです」と、高井さんが言った。低い、静かな声だった。

「信雄、あたしの言っている意味がわかってるの？」

「どういうことです？」

「母さん、よしなさい」

「よしませんよ。あなた、このお話、考え直した方がいいんじゃない？」

「母さん——」

「だってそうじゃないの。普通の人間が、ここまでのことをしやしませんよ。恵梨子さん、あの三上って男とわけありだったのよ。そうでなきゃ、あの男がここまで思い切ったことをするわけないでしょう」

「三上は頭がおかしいんですよ」

「おかしくなったのは誰のせいかしら」

口論をしながら、高井さんの両親は病室を出ていった。あたりは静かになった。

でも、やがて、わたしは小さなすすり泣きを聞いた。恵梨子さんだ。

「——起きてたのか」と、高井さんは言った。

「聞いてたんだね」

恵梨子さんは黙っていたが、衣擦《きぬず》れの音がした。うなずいて、布団をかぶってしまったのかもしれない。

「おふくろも、本気で言ってるわけじゃないんだ。今はとりのぼせてるから」高井さんは穏やかな声で言った。「それに、僕はあんな話にとりあってはいないよ。きみが無事で、本当によかった」ややあって、恵梨子さんの涙声が聞こえた。

「わたしを信じてくれる？」

「もちろんさ」

「普通に考えたら、お母さまの言うことの方が筋が通ってるかもしれないわ。わたし、疑われて仕方がないかもしれないわ」

「そうかな。でも、僕はきみという人をよく知ってるからね」

それから小一時間ばかり、恵梨子さんはずっと泣いていた。なぜ泣いているのか、わたしはわかったような気がしたから、だから、彼女が泣きやんで、しっかりとした声で高井さんにこう言い始めたときも、驚きはしなかった。

「自分の身に振りかかってみて、初めて本当にわかることもあるのね」

「なんのこと？」

「あのね、わたし、あなたにお話があるの。わたしたち二人のことじゃないけど、同じくらい大切なこと。一人の――ひょっとすると二人のひとの、濡れ衣をはらすことになるかもしれないことなの」

そして、恵梨子さんは、塚田和彦のアリバイについて話し始めた。

高井さんは慎重で、まず、彼女の言葉を裏付ける事実を探した。

「バイキング・クラブ」のフロントの女性は、カードを届けた恵梨子さんのことを覚えていた。顔をはっきり覚えていたのではなかったけれど、

「とてもきれいな若いお嬢さんが、いかにも〝主婦〟という感じの形のお財布を持っていらして、そこからカードを出されたので、印象に残っていたんです」

そうだったんですって。わたしは、わたしを誇りに思う。

まもなく、恵梨子さんはたいへんな嵐の渦中に巻き込まれることになるだろう。でも、大丈夫。高井さんがついてるし、わたしも一緒にいるから。

〝ペルソナ・ノン・グラータ〟。彼女は招かれざる客となる。だけど、わたしは恵梨子さんが大好きだから、彼女がどこへ行っても、ずっとついていくだろう。

部下の財布

1

帰宅すると、管理人に呼び止められた。宅配便が着いているという。

よいしょと声をかけて、私の持ち主は、受け取った荷物を持ちあげた。彼のスーツの内ポケットにおさまっている私は、箱の側面をぐっと押しつけられた。

「なんだろうな、これ」

訝しそうに言いながら、彼はそれを部屋のなかに運びこんだ。ちょうどそのとき、電話のベルが鳴った。

「もしもし？　ああ——うん、今帰ってきたところなんだ」

持ち主の声から、緊張が解けた。私も彼と同じように（ああ）と納得した。白井《しらい》舞子《まいこ》だ。彼の恋人である。

「なあ、今さっき荷物がついたんだけど、これ何だよ」

ほう。宅配便の送り主は彼女だったのか。

「え？　いりょうケース？　何だよ、それ。——押し入れに？　ああ、衣料品ケースか。なんでそんなもんをこっちへ？」

今度は、電話の向こうで、舞子がちょっと長くしゃべった。

「そんな……ずいぶん急に決めたんだな」

また舞子がしゃべる。私の持ち主は短く笑った。

「そう。じゃ、ちびちび荷物を送らないで、一度に引っ越してこいよ。え？」

また、笑い声をあげる。

「わかったよ。好きなようにしろよ」

なんとなし、ニヤけているような声である。やれやれ。

「俺がいないときは、管理人室で受け取っておいてくれるから。ただ、あんまり大きいものは嫌な顔をされる。へえ、そうなの。じゃ、面倒はないな」

もうしばらく、荷物のやりとりについて言葉を交わしたあと、持ち主は言った。

「なあ、今夜これから出てこれないか？　え？　いいじゃないか、どうせこっちへ引っ越してくるんだろ？　片付けなんかあとにして、出てこいよ」

どうやら、臨時のデートとなりそうな気配だった。今夜は、コンビを組んでいる巡査部長から、「お互い、一晩休んで頭を切り替えよう」と言われて帰ってきたのだから、怖いものなしだ。

ただし、わたしの抱いている中身は、あまり心強い状態ではない。だから彼も、しきりと「こっちへこい」と招いているのだろう。部屋で過ごす分には、余計な金はかからない。

「じゃ、待ってるから」と、言って、電話を切った。そして、ぴゅっと口笛を吹いた。

この喜んでいる男は二十九歳。名前は寺島裕之《てらじまゆうじ》。東京の、とある警察署の捜査課に所属する私服刑事だ。そして私は、彼の懐ろをあずかる財布である。


舞子がやってきたのは、それから一時間ほどたってからのことだった。彼女は夕食の材料を仕入れてきており、そのメニューを聞いてから、私の持ち主は私を手に、近所の酒屋へワインを買いに出かけた。

私が私の持ち主の物となったのは、二年前、彼が私服刑事になって捜査課に配属されたときだった。お祝いにと、私を彼に買い与えてくれたのは、彼の姉である。働《はたら》き蜂《ばち》のように多忙で、靴底のようにタフで、雌牛のように優しい女性だ。

姉は彼よりも八歳年上である。彼は頭があがらない。だから私も、たいていの場合、私の持ち主を「裕之」と呼び捨てることにしている。彼の姉がそうしているのと同じように。私は彼女の代理なのだから。

今夜、裕之が浮かれているのは、舞子がとうとう、彼との同棲に踏み切る決心をしてくれたからである。夕食をとりながら、二人はその話ばかりしていた。私は、隣室で、ハンガーにかけられ、洋服ダンスの把手《とって》にぶらさげられた上着の内ポケットのなかから、二人の声を聞いていた。

「さんざん嫌だって言ってたのに、急にどうしたんだよ」

またニヤニヤしながら——緩みっぱなしの顔が見えるようだ——裕之が訊いた。

「べつに、理由なんかいいじゃないの」

舞子は笑っている。身の回りのものを少しずつまとめ、箱詰めにしてこの部屋に送るという。大きな家具類や電化製品は、彼女の友達にあげたり、安く売ったり、粗大ゴミで出したりして、みんな処分するつもりだ、と話した。

「ここには生活必需品はみんな揃えてあるし、あたしが持ってるものより、みんな新しいもの。だからいいでしょ？　あたしは身ひとつで、着るものとお茶わんとお箸《はし》だけ持ってくるってわけ」

だから引っ越しなどしなくていい、というのが、先ほどの電話の内容だったのだ。

なるほど、こういう方向でおさまりがついたか、と、私は思った。そして、舞子が裕之と同棲してくれれば、私も少し身軽になることができるな、とも思った。

裕之は、私の小銭入れの部分に、舞子の部屋の合鍵を入れているのである。これが結構頑丈な鍵なので、あまり大振りの財布ではない私としては、少し苦しい。鍵ならキーホルダーにつければよさそうなものだが、そちらの方には、すでに、自分の部屋のものと、車のキーとをぶらさげてあるので、もういっぱいなのだろう。

それに、裕之としては、舞子の部屋の合鍵だけは、別のところにしまっておきたいという想いがあったのかもしれない。仕事に追われているおかげで、この合鍵を使うチャンスには、あいにく、今まで一度も恵まれていないのだけれど、象徴的な意味のあるものだから、粗雑に扱うことはできないのだ。キーホルダーにつけて腰からぶらさげたりせずに、財布に入れて、心臓に近いところに保管しておきたかったのかもしれない。

いずれにしろ、舞子がここで暮らすようになれば、この合鍵は要らなくなる。私としては、やれやれだ。

それにしても、舞子、よく決心したものだ。

なにかきっかけになるようなことがあったのだろうか。

数カ月前、裕之が彼女にプロポーズしたとき、舞子はまだ結婚したくないと断わってきた。書類一枚提出することによって振りかかってくる、しち面倒臭い姻戚《いんせき》関係を引き受ける準備ができていないというのだ。

そこで裕之が、「じゃあ同棲ならいいわけだろ?」と提案した。ところが舞子は、それにもあまりいい顔をしていなかった。以来、ずっと押し問答の繰り返しだったのだ。

「いいじゃないか」

「嫌よ」

「なんで」

「なんでも」

まるで子供の喧嘩である。だが、私には、良い返事を渋っていた舞子の気持ちもわかるような気がしていた。

彼女は自由人なのだ。舞子が実に軽々と、さまざまなことをやってのけるのを、私は見てきた。人材派遣会社に席をおいて、あちこちの企業で働き、合間には休暇をとって、国内外を問わず各地へ旅行する。習いごともたくさんこなす。趣味も多い。友人たちもたくさんいる。裕之と出会ったころには、大勢のボーイフレンドたちに囲まれていた。

彼らが初めて顔を合わせたのは、一年ほど前のことだった。裕之が聞き込み捜査で立ち寄った外資系の銀行の受付カウンターに、「しみひとつない」という感じの完璧な美女が一人いた。それが舞子だったというわけだ。

私がそれをよく覚えているのは、その数日後、彼らが初めてデートをし、とんとん拍子にそのまま一夜を共に過ごし、翌朝裕之がワイシャツもネクタイも替えないまま署に出ていって、デカ長に「朝帰りか？」と問われ、にやけたりして、その日はあまり仕事らしい仕事もせずにこの部屋に戻ってきたその夜に、あの森元隆一殺しが起こったからだ。

そういえば、あれは師走のことだった。殺人現場は冬枯れの野っ原だった。死人のまぶたのように青白い月光が死体を照らしていた。あれから春が来て、あの野原にもまた緑が萌《も》え、夏には日差しが照りつけ、秋にはすすきの穂が茂り、そしてまた冬がやってきて、今夜あたり、また陰気な月光が降り注いでいることだろう。あの当時、まだ馴《な》れ初《そ》めたばかりだった裕之と舞子が、こうしてうまく鞘《さや》におさまりそうだというのに、事件の方はただ混乱する一方で、解決のきざしなど少しも見えていない。

今、塚田和彦はどうしているだろう。舞子とじゃれあっている裕之の、心のなかにも、その疑問が根強くうずいているはずだった。

塚田和彦とは、東京の青山で「ジュヌビエーブ」というレストランを経営している三十六歳の男で、昨年の師走に発生した森元隆一という三十三歳の男性の殺害を発端に始まった保険金目的の連続殺人事件の容疑者である。いや、今現在は、「元容疑者」と呼んだ方がいいかもしれない。彼の疑いは晴れつつあるからだ。マスコミ関係の何社かでは、すでに、彼を青天白日の身としているところもある。まさに豹変《ひょうへん》。

しかし、事態は深刻だ。この事件では、四人の人間が殺されている。いずれも、疑いをさしはさむ余地のない他殺だ。

私は裕之の上着のポケットにおさまり、捜査会議で読み上げられる事件経過を、それこそ暗記してしまうほど何度も聞いた。ざっとながめてみても、それぞれの配偶者を亡くし、それぞれ高額な保険金を取得するところから、塚田と法子が怪しい——ぷんぷん臭う——ということとは、小学生でも見当がつく。またこの二人、逸子の死のときには二人とも、森元隆一のときには和彦だけが、早苗の死のときには法子だけが、そして葛西路子の死のときには、また二人とも——という具合に、実に怪しげな感じでアリバイを持っていないのだ。まるで、申し合わせて、わざわざ疑われるように行動しているみたいにも思える。しかし、こういう、物証は乏しいが状況証拠だけは福袋に詰めて売り飛ばすことができるほどにたくさんある——というのは、嫌なタイプの事件だ。裕之の上司の巡査部長は、塚田と法子の逮捕に執念を燃やしている男なのだけれど、今の状態では立件が難しいということも、充分に承知しているらしい。おかげで毎日、ウンウンいっている。

いや、いっていた。

そうなのだ。先ほど舞子が言ったように、つい最近、ある証人が名乗り出て、森元隆一の事件の際の塚田和彦のアリバイを立証したものだから、事件がややこしくなってきたのだ。証人によると、ちょうど事件があったころ、塚田和彦は、山梨県は甲府市の郊外にいて、車のガス欠のために立往生していたというのである。

この証言は、塚田本人の記憶もよみがえらせたらしい。それまで、森元事件当日の行動を問われても、「記憶にないんです。一年近く前のことなんだ」と頭を抱えていた和彦が、思い出したというのだ。

「あの日、僕は、休暇をとっていたんです。クリスマスにかけて猛烈に忙しくなりますから、その前に一日か二日、畠中さんと交替で休みをとろうということになって——」

畠中というのは、塚田と一緒に「ジュヌビエーブ」を経営しているパートナーである。

「それで、特に行き先も決めずにふらりと車を出したんです。最初は、浜松《はままつ》にいる友達のところを訪ねようかと考えていたんですが、たまたま、その何日か前に雑誌のグラビアで、甲府市の郊外に、日本国内では最大のワイナリーを持つレストランがオープンしたという記事を読んでいたもので、よし、ちょっとのぞいてみようかと思い立ったんだった」

それで、一人で甲府に向かったというわけなのだ。問題のレストランでは、塚田がたしかにやってきたという確証をつかむことができなかったが、なにしろ、その夜彼と会ったという証人の証言は明瞭で、おまけに、そのとき彼がその場に落としていったスポーツクラブのメンバーズカードを、数日後そのスポーツクラブへ届けにいった——ということまでくっついていた。引っくり返しようのない証言なのだ。

事件の経過を見てほしい。

塚田和彦と森元法子の共同謀議による保険金交換殺人——という説をとっている人間は、四つの殺人事件のうち、どれかひとつにでも、塚田と法子の両方に確固たるアリバイが成立し、二人のどちらもその殺人を犯すことができなかったということが立証されてしまったら、ぐうの音も出なくなってしまう。二人の——二人だけの共謀という説が根こそぎ引つくり返ってしまうからだ。

「じゃあ、もう一人共犯がいるんじゃないの？」と、簡単に考えるわけにはいかない。その「もう一人」とは誰だ？　どんな人間だ？　なんのために協力している？　報酬だろうか？　だが、これまでの警察の調べでは、塚田と法子の周辺に、二人と手を組んでこんな危ない橋を渡りそうな人間は見当たらない。二人の懐ろ具合を調べても、事件の前後に大金が動かされた様子もない。

だいいち、もし三人目の共犯者がいるのなら、塚田も法子も、そもそもこんな派手な疑いを招くようなことにはならなかったのじゃないか。報酬を払って「殺し屋」を雇うのなら、嫌な言葉だが、もっと手際よく、誰にも疑われないで済むようにことを運ぶことができただろうから。

こうして今、捜査は手詰まりの状況に陥ってしまっている。特大の肥えだめにはまっている――と、裕之の上司は言っている。状況証拠ばかりで難しい事件だと嘆いていられるうちは、まだよかった……。

マスコミ関係が一斉に方向転換をしたので、現在、塚田と法子は、それまでとはまったく違う意味で「時の人」となっている。各テレビ局は、なんとか彼らに出演してもらおうと、札束の山の築きっこをしているという噂だ。ちょっとしたアイドルタレント以上の知名度とインパクト。それに、塚田も法子も都会っ子で、スマートな美男美女である。二人が愛人関係にあったことは事実だが、殺人さえ絡んでこなければ、それぐらいなんていうことはない。かえって刺激的で魅力的だということになる。塚田には、日曜日の朝のニュースショーのレギュラーにならないかという誘いが、法子には、二、三のプロダクションから女優にならないかという話が、それぞれかかっているようだ。

その一方で、私の持ち主である寺島裕之や、彼の上司をはじめとする捜査側の人間たちは、壁に頭をぶっつけて、フラフラになっているのである。

裕之も、しばし、舞子とじゃれあって疲れを癒《いや》すのもいいだろう。どうやら二人は、会話どころではない方向へ行ってしまっているような気配がしてきた。

2

翌日、裕之は身も心も軽く捜査課へ顔を出した。だが、パートナーの巡査部長は出てきていなかった。

おかしなことに、私はこの巡査部長の名前を知らない。誰もがみな、彼を「デカ長」としか呼ばないからだ。

「あれ？　デカ長は休みですか」

「病院だよ、病院。診察日だ」と、誰かが教えてくれた。ああ、そうかと、裕之はうなずいた。

　デカ長は、心臓に爆弾を抱えているのである。森元事件の直後、捜査会議の席上で倒れ、そのまま病院に担ぎこまれたこともある。裕之はその日、午後二時ぐらいまで、手元の捜査資料を再読し、メモを取りなおしたりして過ごした。そして、腰をのばしながら立ち上がり、少し遅目の昼食に出かけようと階下へ降りていったとき、呼び止められた。

「デカ長は？」と、質問が続く。それで誰だかわかった。河野という私立探偵だ。彼もまた、裕之の上司を「デカ長」としか呼ばない。

「ここにはデカ長は何人もいますよ。誰のことです？」

　この挑発に、探偵は引っ掛からなかった。

「また、具合でも悪いんだろうか」

　低音の、ときにはひどく老けて聞こえる声である。この探偵は、まあ、この事件を追いかけているあいだだけのことかもしれないが、デカ長と歩調をあわせて仕事をしている節がある。だから、デカ長の体調を気にする。そして、部下でありちゃんとした刑事である自分をさしおいて、私立探偵なんかと仲良くしているデカ長に、口には出さねど、裕之は不満を抱いているのだ。

「ピンピンしてますよ」と、ぶっきらぼうに答えた。「だけど、一週間後もピンピンしているために、今日は病院へ行ってるんです」

「なるほどな」

探偵は、心なしかほっとしたようだった。

「きみは、これから昼飯か？　じゃ、ちょうどいい。一緒に出ないか。聞いてもらいたいものがある」

探偵が持ってきたのは、小さなカセットレコーダーだった。

デカ長なら、ためらわずに彼を署内に入れるのだろうが、裕之は頑固にそれを拒んだ。

喫茶店は、探偵の方でまずいと言った。結局、署の近くの公園の、人けのない広場のなかのベンチへと腰を落ち着けることになった。寒いだろうに。裕之も意固地《いこじ》なことをする。

「そろそろ二週間ぐらいになるかな。例の、塚田のアリバイについて大々的に報道が始まって、世論が彼に有利な方向へ傾き始めてから、私の事務所に、時々電話がかかるようになったんだ」

まあ、聞いてみてくれと言って、探偵はスイッチを入れた。ほとんど雑音のない、明瞭な録音だった。

「僕だよ。またかけちゃった」

若い男の――いや、まだ少年の声だ。

「話がしたくなったんだ。警察はどう？」

ここで、探偵の低音が入る。「まだ、きみを捜し当てるところまではいってないようだね。変わりないかい？」

羽根製の刷毛《はけ》を振っているかのような軽い音がした。どうやら、電話の主の青年が笑っているらしい。

「僕は毎日ちゃんと予備校へ通ってる。教室の誰も、僕があの人たちを殺した犯人だなんて知らないいんだ。塚田和彦や、あの法子って女の話題はしょっちゅう出てるけど、僕が真犯人だとは気づかないのさ」

探偵が、ここでいったんスイッチを切った。ややあって、裕之が、喉が固まってしまったかのように、抑揚のない声を出した。

「これはなんです？」

探偵は落ち着いていた。「自称、保険金目的連続殺人事件の〝真犯人〟の声さ」

数を十数えるくらいのあいだをあけて、裕之がゆっくりと息を吐き出す音がした。

「デタラメですね？」

「もちろん、そうだと思う」と、探偵は答えた。「妄想癖のある、孤独な予備校生というところかな。自分をこの大事件の真犯人に模することで、そっと楽しんでいるんだろう」

「しかし、なぜあなたのところへ電話を？」

「本人は、テレビで観た、と言っていた」

河野というこの私立探偵は、殺害される以前の塚田早苗に、夫の素行調査の依頼を受けていたのである。彼女が殺されたあと、耳の早いテレビ関係の記者が、彼の存在を嗅《か》ぎつけて追い回した。撃退にエネルギーを費やすよりも、一度きりの約束でインタビューに答えた方が能率的だという判断で、彼がテレビに出たのは、二カ月ほど前のことだった。

彼は、まとまった話など何一つしなかった。全部はぐらかしていた。ただ、全国ネットで面の割れた私立探偵など笑い話にもならないので、このインタビューは電話によるものだったのだが、事務所の看板は——モザイクで消してあったけれど——画面に映されてしまったという次第だ。

「電話の主は、画面のボカシ処理を消して、事務所の名前を確かめたと話している。そういうメカには強いらしい」

裕之はくしゃみをした。本当は、バカにするつもりで鼻を鳴らそうとしたのだろう。

「警察に電話しても、十把ひとからげの情報としてしか相手にしてもらえない。でも、私のところなら、もう少し密度の濃い対応がしてもらえると思ったんだそうだ。おかげで、時々楽しい電話をもらってるよ」

「こういうのは、よくいるんですよ」裕之は吐き捨てた。「放っておいたらどうです？そのうち飽きて、別の興味の対象を見つけますよ」

子供が数人、歌をうたいながら近くを通りすぎてゆく。その歌声が消えてしまうのを待って、探偵は言った。

「この電話の主は、私の事務所を訪ねてくると言っている」

今度は、裕之はちょっと黙った。それから冷やかすように言った。「それで？　怖いから守ってくれって言うんですか？」

探偵は相手をしなかった。相変わらず淡々とした口調で、

「デカ長ときみにも、彼に会ってもらった方がいいんじゃないかと思ってね。姿を見せると、向こうが警戒してしまうかもしれないが、隣りの部屋にでも隠れていればいい。こういう人物の言うことを、一度しっかり聞いてみる必要があるんじゃないかと思う」

そこで初めて、声がいくぶん笑いを帯びた。

「どうせ、警察も、ほかには突破口を見つけられないでいるようだし」

裕之はまた、くしゃみをした。何か言い返そうとしたのだろうけれど、私としては、くしゃみにしておいて正解だったと思う。


デカ長は乗り気だった。

「あんなの、信じられないですよ」

裕之が不平を並べると、遅刻の言い訳をする生徒を前にした教師のような口調で、

「どっちが信じられないんだ。その予備校生か？　それとも探偵か」

「どっちもです」

「よろしい。他人を信じないのはいいことだ。俺たちは、誰も信じないことを身上とする商売だからな。朝起きて金歯が失くなっていたら、隣りに寝ていた女房を疑え」

「冗談言ってる場合じゃないですよ」

ぶうたら言っている裕之を、私も、彼の姉さんに代わってどやしつけてやりたくなった。私の革は上等だから、これで横面を張ると、相当きくはずだ。

「おまえ、あの探偵に偏見を持ってるな」

「持ってますよ。彼に限らず、私立探偵なんてみんなペテン師と紙一重です」

デカ長は、レントゲン台に乗って「はい、息を吐いて」と言われた時のように、深々と深呼吸をした。溜め息だ。

「たしかに、一般論としては、そういうきらいはある。だが、あの河野という男はちょっと違うぞ。あいつは玄人《くろうと》だ。自分の役割をわきまえてる」

裕之は黙っている。デカ長は続けた。

「それに、あの男は責任を感じてる」

「責任？」

「そうだ。塚田早苗が殺されたことに対して、ひどく責任を感じている。彼女を守りきれなかったことにな。それは、玄人としての彼のプライドが傷ついたということでもある。

だから真剣だ。おまえより真剣かもしれん」

「僕だって真面目ですよ」

「そうだな。だが、真面目と真剣は違うぞ」

デカ長、いいことを言う。

「河野が、ちょっと頭のネジのおかしい問題の予備校生に会ってみてくれというのなら、会ってみた方がいい。その予備校生がどうのこうのというのじゃなく、彼を通して、何か見えるものがあるのかもしれない」

電話の予備校生は、昨日の電話で、「二、三日中に訪ねてゆく。家を出る前に、電話してから行くよ」と話したという。デカ長と裕之は打ち合わせをして、探偵からの連絡を待つことになった。

その夜、裕之はデパートの閉店時間ぎりぎりに駆け込んで、舞子のために指輪を買い求めた。私のなかからクレジットカードを取り出すとき、彼の手が少し震えていた。

舞子は四月生まれだ。誕生石はダイヤモンド。値段の張る宝石である。

裕之は、ちゃんと彼女の指輪のサイズを把握していた。店員に勧められるまま選んだ指輪は、彼女の薬指には大きすぎるので、直しに出すことになった。だから、ありがとうございましたという声に送られ、彼が店を出たとき、私はデパートの預かり証を抱いていた。

電車のなかで吊り革につかまりながら、裕之が、その預かり証がちゃんとあることを確かめるように、上着の上から何度も私を撫でてくれるのを、私は感じた。心配しなくても、ちゃんと保管しておいてあげるよ。

マンションに帰ると、また宅配便が着いていた。今度は段ボール箱で、靴とか、アクセサリーを入れた小物入れとか、雑多なものばかり詰め込んであった。受け取ったという電話をいれると、舞子は髪を洗っていたとかで、すぐには電話に出てこなかった。

「中身、見ちゃったんだ。いいだろ？」

裕之は喉声で笑った。機嫌のいいときの猫みたいだ。

「舞子、きみ、僕のプレゼントしたものを、みんな大事にしてくれてるんだな」

昨日の衣料品ケースのなかにも、今日到着した段ボール箱のなかにも、裕之が舞子にプレゼントした品物が、たくさん混じっていたのだという。

「感激したよ」

話はそこから、明後日の夜、二人が連れ立って行くことになっているコンサートのことになった。舞子がチケットを取り、裕之の分だけ彼に渡してある。そうしておけば、彼が仕事で遅れても、舞子は会場のなかで待っていることができるからだ。

「え？　大丈夫だよ。今の状態じゃ、事件は全然動いてないしね」

舞子はたぶん、またしても土壇場で彼が来られなくなることを案じているのだろう。残念ながら、過去にはそういうことが何度もあった。そういうとき、裕之はまず彼女にその旨電話を入れ、それから、自分の分のチケットを、二人がよくデートの待ち合わせに利用する、署の近くの喫茶店のマスターに預けておくのだ。すると舞子は、会社が引けるとまずその喫茶店へ行き、裕之のチケットを受け取り、都合のついたピンチヒッターの友達と二人でコンサートに出かける。

「絶対大丈夫だよ。かならず一緒に行けるって。ところで、本格的にこっちで暮らすのは、いつからになる？　来週末？　そんなにいろいろ片付けることがあるのか？　ふうん……そう、じゃ、そのつもりでいるよ」

電話を切ったあとも、裕之はしばらくニコニコしていた。その夜のトーク番組に、洒落《しゃれ》た輸入もののスーツをぴたりと着こなした塚田和彦が登場し、アイドルタレントと、若者に人気のある小説家と一緒に、現代社会を論じているのを見つけても、その上機嫌の度合いが減ったようには見えなかった。

3

問題の予備校生から電話があったという連絡が入ったのは、翌日の午後三時ごろのことだった。署内で待機していたデカ長と裕之は、タクシーで十分ほどのところにある、河野の事務所へと向かった。

彼の事務所を訪ねるのは、裕之にも、私にも初めてのことだった。予想どおりの老朽ビルだが、室内はこざっぱりと片付いていた。ファイルを詰めこんであるのだろう、重そうなキャビネットがふたつ、壁ぎわに据えてある。応接セットの椅子が、盛んにきしんで音をたてた。

「隣りの部屋に潜んでろって言ってたけど、隣りの部屋なんかないじゃないか」

裕之の抗議に、探偵はあっさり答えた。

「小さな台所と、トイレがある。仕切りのドアは閉まるし、椅子もある」

デカ長は何も言わなかった。煙草でも吹かしているのだろう。心臓によくないのだが、やめられないでいるのである。

三人は、それぞれ配置について、待った。二時間ほど待っただろうか。私は裕之の内ポケットにいて、彼の鼓動を感じていたが、さして緊張している様子はなかった。

電話が鳴り、探偵が出た。あの予備校生からのものだった。すぐに切れてしまった。

「気分が良くないから、明日にすると言ってきた」

落胆した様子も見せずに、探偵が言った。デカ長は、狭い台所から外へ出て、大きくのびをしているようだ。うなり声のようなものが聞こえた。

「じゃ、明日もまたこんなことをやるんですか？」裕之が大げさに悲痛な声を出す。

「そうだよ」

「ヤツが来るまで？」

「そのとおり」

「僕、恋人とコンサートに行く約束をしてるんですよ」

デカ長は言った。「舞子さんだろ？　彼女は友達が多いそうじゃないか。代わりの人間が、すぐに見つかるさね」

椅子をきしませて、デカ長は腰をおろしたようだ。入れ替わりに、探偵が席をたって台所の方へ向かう足音がした。コーヒーでもいれるのかもしれない。

「安心しろ。思うようにデートができないのは、この商売の宿命だ。それだって、俺の知ってるかぎり、仕事仲間で『忙しすぎて結婚できなかった』なんて男はいないよ」

「それはまあ、そうですけど」

「彼女とうまくいってないのか？」

「そんなことは……」

当然のことながら、デカ長は尋問が巧い。裕之は、結局、舞子と一緒に暮らすことになった事情を話してしまった。途中で彼が言い淀むと、デカ長は、

「おい、探偵さん、あんたにだって彼みたいな時代はあったろう？」

探偵はあっさり「そうですね」と答えた。

「俺にだってあった。そういう話を聞かせてもらうと、若返るような気がするね」

ここが裕之のお人好しなところだが（そして、男にしてはおしゃべりなところでもある）、指輪を買ったことなんかもしっかり打ち明けて、機嫌を直してしまった。

「そういう状態なら、コンサートへ行かれなくても、舞子さんも勘弁してくれるだろう。チケットは彼女の友達に譲ってやれよ」

裕之はいつもの手順を説明し、そうしますと、しおらしく納得した。ちょっと、可哀想な気もする。

と、それまで黙っていた探偵が、意外な質問をしてきた。

「彼女、仕事は？　どこか堅いところに勤めているのかな」

裕之は答えた。「人材派遣会社ですよ。ひとつの企業に居ついてしまうより、融通がきいて、楽しいらしい」

「実家は？」

この質問には、裕之も鼻白んだ。「そんなことを訊いて、どうするんです？　僕の恋人のことだ。あんたに関係ないでしょう」

「そうだな。失礼」

私も、探偵がなんでそんなことを訊いたのだろうと、不思議に思った。同時に、そういえば、舞子の実家はどこだったろうと考えた――。

そして、いまさらのように気がついた。彼女から家族や故郷の話を聞いたことがない。

これも、(結婚てのは、家と家のもの。あたしは、あなたとだけ暮らしたいの)という、彼女一流のドライな考え方のせいだろうか。

そう——裕之は、彼女の実家がどこであるかも、詳しくは知らないはずだ。私が聞いてないのだから、彼も聞いていない。私は彼の行動資金を抱いており、ラブホテルのなかにまで一緒に入るのだから、これは確実だ。

「なあ、妄想癖の予備校生と俺たちを引き合わせて、あんた、何を狙ってるんだ?」

お茶かコーヒーか、何かをすすりながら、デカ長が問うた。探偵が答えた。

「ひとつ、途方もない仮説を立てたんだ」

「ほう」

「それを納得してもらうためには、サンプルとして、私に電話してくる予備校生みたいな人間を、じかに見てもらった方がいいんじゃないかという気がしてね」

それは、翌日へと持ち越しになった。

署に戻ると、裕之は舞子の職場に電話をし、明日、都合がつかないかもしれないと謝り、チケットを喫茶店に預けておくと話した。裕之の声の感じから推して、舞子は怒っていないようだった。

4

翌日も、午後三時すぎに、探偵から連絡が入った。デカ長と裕之は、押っ取り刀で駆け付けた。

そして、また待たされた。だが、今度は待った甲斐があった。一時間ほどして、探偵の事務所のドアを、遠慮がちにノックする音が響いたのだ。

デカ長と裕之は、また台所に隠れていた。だから私もそこにいた。裕之の肩に、少し力が入ったようだった。

「あんたが、河野さん？」

拍子抜けするほどおとなしい、可愛らしい声が、そう訊いた。熟し切っていない、大きな子供。

そうだ、と、探偵が答えた。

「僕、わかりますか」

「電話をくれた人だね？」

「そうですよ。入っていい？　約束どおり、警察は呼んでないだろうね？」

「自分の目で確かめてごらん」

軽い足音が聞こえる。予備校生が室内に入ってきたのだ。探偵は、彼が台所の仕切りのドアを開けたらどうするつもりなのだろう？

だが、そういうことにはならなかった。予備校生は、腰をおろしたらしい。椅子がきしんだ。

若者は陽気だった。よくしゃべった。一度、河野と「さしで」話し合いたかったこと。自分は捜査圏内には入っていないだろうし、この先入る心配もないということ。

「だって、塚田さんとも法子さんとも、殺された四人とも、僕は丸っきり無関係なんだからね」

「そんなことを、ここでしゃべっていいのかい？」

探偵の問いに、彼は、面白いギャグを見せられたときのように、楽しげに笑った。

「自白だけじゃ証拠にはならないでしょう？　それに僕は、物証を残すほどバカじゃないよ」

「なぜ、あの人たちを殺して、塚田さんや法子さんに疑いがかかるようにしたんだね？」

すると、予備校生の可愛らしい声に、熱がこもった。

「面白かったからさ。すごくスリリングだったからだよ」

最初に塚田さんを見たのは、「ジュヌビエーブ」に食事にいったときだったんだ――と、彼は話し始めた。

「あの人を見たとき、何だかすごく、偉そうに見えたんだ。カッコつけててね……。僕みたいな人間なんか、目じゃないって感じだった。あの人はハンサムだし、スタイルもいいからね。で、興味を持ったんだよ。あんなふうに、〝僕がいちばんだ〟みたいな顔をしてる人には、僕はとっても興味がわくんだ」

調査事務所を頼み、塚田の身辺を調べたという。

「だから、彼のことなら何でも知ってるよ。どんなことだって知ってる。ホントさ」

「よくそんな資金があったね」

「あるさ。お金はあるんだ。パパもママも、どこでもいいからなんとか大学に合格してほしいって思ってるから、僕がねだればすぐにお金は出してくれるよ。マンションだって借りてくれたし、車だって持ってる。僕はもう、ひとかどの人間なんだ。ただ、塚田さんみたいに図々しくないから、それを宣伝しないだけの話さ」

塚田の周辺の人間たちを殺し、その疑いが彼や彼の愛人の法子にかかるように計らったのは、塚田に、「誰がいちばん偉いのか、教えてあげようと思ったんだ。それはね、僕なんだよ。レストランの経営とか、美人の奥さんや愛人がいるとか、そんなことは下らない。僕の頭で、綿密に計画したら、どんな騒ぎだって起こすことができるんだ」

「じゃ、塚田のアリバイが成立したのは、君にとって痛いミステイクだったね」

「そうでもないよ。あれもちゃんと計算に入れていたからね。そのうち、彼の容疑は晴れる。だって、本当に何もしてなかったんだから。今は、警察が困ってるだろ？　僕は警察より頭がいいんだ」

デカ長が、またあのクジラの呼吸のような溜め息をついた。

「しかし、塚田と法子はスターになっちまっているね。君は誰にも知られていないのに、彼らは有名人になった。これは不公平じゃないかい？」

予備校生は、ふふふと笑った。

「だから、あなたに相談しにきたんだ。いい加減で、塚田たちを引きずりおろしてやらなくちゃ。彼らなんか、僕の指先で操られているだけなんだ。僕、そろそろ犯行声明を出そうと思ってる」

「なるほどね……」

「で、あなたに協力してもらおうと思った。マスコミ関係に話を通してくれない？　警察は、こういうこととなるとフットワークが鈍いから駄目だ。あなたなら、ほら、あなたを取材したテレビ局と、じかに連絡がつくでしょう？　僕から――真犯人から直接取材できるって、話を持ち込んでよ。ね？」

「いい出演料がもらえるだろうな」

予備校生は、唾を吐くような音をたてた。

「お金なんか要らないんだ。金は問題じゃない。そうだろ？　僕はそんな小者じゃない。

ただ、そろそろ、本当に偉いのは誰かってことを、世間のバカどもに教えてやってもいいかなって考えてるだけさ――」

「聞いたでしょう」

予備校生が帰ってしまうと、あらためて椅子に身を沈めたのか、少しくぐもったような声で、探偵は言った。

「化物だな」と、デカ長は言った。「貧相な若者じゃないか。立派なのは妄想だけだ」

「そう思いますか？　じゃあ、会わせてよかったということになる」

探偵は、予備校生に、「自筆の告白書を用意してくれ。まずそれを持って、テレビ局へ行くから」と提案していた。彼は明日、また同じ時刻に、それを持って訪ねてくることになっている。

「ちゃんと住所と本名を書いて、印鑑も持ってくると言っていたな」

デカ長が、重苦しい口調で言った。

「やっこさん、本当に来るぞ。身柄を押えよう。親に連絡して、医者に診せた方がいい。放っておくより、その方が親切だ」

裕之は、上着のポケットからハンカチを取り出して、しきりと汗を拭いていた。

「気がふれている」と、彼は言った。「とんだ時間の無駄ですよ。河野さん、あんた、我々にあんなものを見せていったいどうしようっていうんです？」

探偵が、ゆっくりと言った。

「端的に言えば、私は、あの予備校生と似たような人間が、塚田和彦と森元法子の計画に手を貸した、第三の共犯者であろうと思っている」

沈黙の中に、デカ長の体重に抗議して椅子がきしむ音だけが聞こえた。

「ああいう人間が――惨めでちっぽけで、世間からまったく顧みられることのない敗残者――それが、今度の事件の実行犯だろう」

私は感じた。裕之の心臓の鼓動が早くなっている。

「それはつまり、そういう人物が塚田に操られているということかね？」

デカ長の質問に、探偵がうなずいたのだろう。デカ長は、「そうか」と唸《うな》った。

「あまりに突飛な想像ですよ」ようやく、裕之が言った。笑おうとして、あとの二人の真剣さに押され、笑いにならなかったという声を出している。

「そうかな。だが、現実にああいう妄想を抱く人物がいるんだよ。自分はひとかどの人間だ。テレビや雑誌で騒がれているような連中よりも、自分の方が、本当はもっともっとずうっと偉いんだと思い込んでいる人間が」

デカ長が言った。「ああいうふうに、ひとりで思い込んでいてくれるのは、いい方だ。可愛いものだよ」

「そう思う」と、探偵が言った。「だが、今度の事件に絡んでいるのは、ひとりだけの思い込み、妄想では満足できなくなった人間だ。でなければ、殺人まではしないよ」

「じゃ、どういう人間だっていうんです？」

裕之の詰問に、探偵は逆に質問で答えた。

「きみは、塚田和彦をどんな人間だと思う？」

「どんなって……？」

「彼のいちばん顕著な特徴はなんだろう。考えてみてくれ。なんだ？」

裕之は返事に窮している。

「人心をつかんで、それを手のなかで転がす術に長《た》けている──」デカ長がつぶやいた。

「堅い表現だが、そうじゃないか？」

探偵は言った。「人を転がす──それでいいと思う。彼はそれが非常に巧い。たしかに、頭もいいし才能もあるんだろう。『ジュヌビエーブ』の畠中は、彼に惚れ込んでいる。彼の商才に惚れたんだと言っている。だが、デカ長、塚田ぐらいの商才の持ち主なら、ごまんといるよ。塚田が畠中をしっかりつかまえているのは、彼が、いい意味でも悪い意味でも、人の心を動かす術に長けているからだ」

「うむ」と、デカ長が答えた。

「ここを訪ねてきたとき、塚田早苗は言っていた。彼女の夫に対する疑いを、家族は誰も本気で受け取ってくれない、と。みんな和彦さんに丸め込まれていると。そういう彼女自身も、身の危険を感じるまでは、彼の虜《とりこ》になっていたんだ」

探偵の声に、苦い苛立ちが混じった。

「もうひとり、早苗の甥の雅樹という少年がいる。早苗の事件のあと、私も直接、何度か話を聞いた。彼もまた、早くから塚田の正体を見抜いていた。だが、誰もまともに聞いてくれないと言っていた。『みんな、塚田さんが好きになってるんだ。おかしいけど、みんなあの人の言うことばっかり信じてる』。まだ小学生の子供だが、目は鋭かったよ」

「そういえば――」デカ長が口を開いた。「宮崎という、塚田の幼なじみの話を思い出したよ。吃音癖があって、塚田以外に友達がいなかったという男だ。彼も、子供時代、塚田に魅せられて、彼の言うなりになっていた」

探偵は立ち上がったようだ。足音がする。

「それと同じ事を、塚田は第三の共犯者に対してもやってのけたのさ。そうやって、操縦してるんだ」

裕之は頭を振っている。「だけど、なんのためにそんなことを？　金ですか？　保険金欲しさに殺人狂を雇ったと？」

違うね、と、探偵は答えた。

「今現在、ヒーロー気取りでマスコミにちやほやされている塚田と法子を見ていると、彼らの正体がわかる気がする。彼らもまた、ただの目立ちたがり屋なんだ。それだけのことさ。しかし、ちょっと頭が良かろうと、美人であろうと、その程度のことじゃ、一億数千万人の人間がひしめいているこの国で、みんなからチヤホヤしてもらえる存在になることなど、まず不可能だ。塚田程度の男はざらにいる。法子だって、十人並みより少し美人だという程度だよ。だが——」

一瞬、息を飲むような間をおいて、デカ長があとを引き取った。

「彼らが、日本中が騒然となるような事件の関係者となれば、話は別だ」

こらえかねたように、裕之が大声をあげた。

「そんなバカな！　じゃ、あなたは、今度の事件の目的は金じゃないっていうんですか？」

「そうだよ」と、探偵は冷静に答えた。「塚田は金を持っていた。『ジュヌビエーブ』は順調に収益をあげていた。殺人を犯してまで、保険金を取る必要など、どこにもなかった。法子だって同じことだ。森元隆一は高給取りだったんだ。彼女は生活に不自由していなかった。塚田からも、現金をもらうことだってできたろう」

きっぱりと、さながら空に楷書《かいしょ》で書くように、探偵は言った。

「彼らの目的は、金じゃない。目的は、今の彼らのような立場をつかむことだった。日本中から注目され、ただの背景、ただの通行人、ただの有象無象から抜け出して有名人になること——ただそれだけだ。その意味では、彼らはまんまと成功した。保険金は、ただの余禄だよ。そんなものなどあてにしなくても、有名人になれば、金はあっという間につくれる。実際、このままいけば、テレビの出演料や、これから彼らが書くだろう手記の印税だけで、保険金など軽く上回る金が転がりこんでくるだろう。そして有名人になってしまえば、塚田の才能、人の心をつかむ技術を活かす甲斐もある。法子程度の容姿でも、有名人になってしまえば、いくらでも利用価値が出てくる。彼女は何になるだろうね。女性問題専門のコメンテーターか？　それとも本当にタレントになるだろうか」

「馬鹿馬鹿しい」怒気をはらんだ声で、裕之が抗議した。「そんなことがあるもんか。有名になるために殺人をした？　それで、もし逮捕されたらどうするんです」

デカ長が辛抱強く言った。「だから、彼らには自分の手を汚さないでいいという勝算があったんだよ」

「勝算？」

「そうだ。実行犯が別にいるんだから。しかも、塚田と法子の二人と、その実行犯とのつながりは、従来の、金銭や痴情がらみの利害関係だけでしか捜査をしようとしない警察には、まったく想像することもできない種類のものなんだ」

その実行犯は、塚田に誘われた人間。敗残者でありながら、「いちばん偉いのが誰なのか、世間の連中に教えてやりたい」という、歪んだ欲望を抱えている人間。

世間の、警察の、マスコミの鼻をあかしてやりたいと願っている人間。

それを、塚田は巧みに利用した。ここでも、目的は金ではない。

「だから、全員が安全だというわけさ。塚田や法子は、あれだけ疑いをかけられても、物証第一主義の現在の制度の下では、自分たちが犯人に仕立てあげられる心配など絶対にないと信じていたんだろうな。皮肉なものだ。誰よりも、騒ぎ立てるテレビのレポーターなんかよりも、彼ら二人がいちばん、俺たち警察の捜査能力を信じてくれていたんだ」

大きく咳払いをひとつして、デカ長は吐き捨てた。

「我々はやっていない。手を下していない。だから、証拠などない。だから、逮捕され裁判にかけられることはない。いずれは警察が、我々がやっているはずがないことを立証してくれる――だから、マスコミにはむしろ、うんと騒いでもらった方がいい。話題になった方がよかったんだ」

「彼らは騒いでもらいたかったんだからね」と、探偵が続けた。「デカ長は、君には話さなかったのかな。例の、四人の被害者の身の回りのものが、ひとつずつ欠けているということの意味を」

裕之の声は聞こえない。デカ長の顔を、おそらくは凄《すご》い目付きでにらんでいるのだろう。

「どういうことです？」と、やっと呟いたとき、その声は低くしゃがれていた。

デカ長は言いにくそうだった。「ずっと気になってはいたんだが、うかつには口に出せなくてね。森元隆一のネクタイピン。塚田早苗の指輪。葛西路子の髪の毛。太田逸子のコートのボタン――こういうものが失くなってるという事実が、ひっかかってしようがなかった。で、思ったわけだ。これらの品は、犯人にとっての戦利品だったんじゃないかとな」

「せ、戦利品？」

「そうだよ。記念品だ。自分の犯した殺人の証拠品だ。こっそり取っておいて、時々ながめて満足する――」

「嫌な話だが」と、探偵が言った。「ボタンだのネクタイピンだのが現場から消えている理由としては、いちばんピンとくると、私も思う。そして、この手の戦利品を欲しがるのは、金目あての犯罪者じゃない。殺人そのものになんらかの意味を持たせている、いわゆるサイコ・キラーの方にこそふさわしい」

「僕は信じられない」

勢いよく立ち上がりながら、裕之が言った。

「動機も信じられないし、だいいち、騙されている実行犯ですって？　そんな――利害関係抜きで、ある人間が、そこまで完璧に誰かにコントロールされて行動するなんて、僕には信じられない。そんなふうに操られる人間なんているものか」

しばらくのあいだ、三人とも黙りこくっていた。裕之ははあはあいっていた。

「君だって、コントロールされていると思うよ」探偵が、静かに言い出した。「いずれ知ることだろうから、話してもいいだろう。急所をつかまれると、人間は、手もなく操縦されてしまうんだ。それを、自分の目で確かめてくるといい」

「どういうことです？」

「舞子さんといったつけ。君の恋人。彼女と約束していたコンサートの会場に、こっそり行ってみるといい。そして、彼女が現在住んでいると言っているアパートだかマンションだかにも寄ってみるといい」

「どうしてここで、僕の私生活が問題になるんだ！」

裕之は怒鳴った——。

でも、おそらくは、怒りと、そして不安にもかられて、彼は言われたとおりにした。

その結果、見つけた。

舞子が、裕之のまったく知らない男と、腕を組みじゃれあいながらコンサート会場へ入ってゆくのを。そして、舞子の暮らしているマンション——そこを引き払って彼のもとへやってくると言っているそのマンションには、もう彼女が住んでいないということも。

一週間前に出ていった。行き先は知らないと、管理人は言った。

「お勤めも辞めたそうですよ。実家？　さあ、知らないねえ。賃貸契約のときには、がっちり保証金を入れてもらうことにしてるから、親元の住所なんて気にしませんよ」

裕之は、管理人と別れたあと、ひとり足音をしのばせて、舞子の部屋の前まで行ってみた。彼は私を開け、私のなかから、舞子に渡されたあの合鍵を取り出した。

彼女が暮らしていた部屋は、今は空き部屋になっている。裕之は、鍵穴に鍵を差し込んだ。

鍵はあわなかった。

舞子としては、裕之に部屋の合鍵を渡すことで、ゼスチャーをしてみせていたのか。彼に、彼だけに心を許しているのだと。たとえ鍵を渡しても、忙しい彼には、それを自由に使うことのできる機会などありっこないと、そこまで見抜いて、計算した上で。

かなり長いこと、裕之はその場に棒立ちになっていた。私は彼の心臓のそばで、彼の心臓と同じくらい冷え固まってしまっていた。

そのとき、カチーンと、なにかが床に落ちる音がした。

裕之の手から、合鍵が滑り落ちたのだ。

彼はそれを拾いあげようとはしなかった。歩きだし、階段へ向かい、二度と振り向きもしなかった。

夜十時もすぎて、裕之が探偵の事務所へ戻ってみると、デカ長もまだそこにいた。

「気の毒だが、身勝手な女と縁が切れて良かったと考えるんだな」と、デカ長は言った。

「なぜわかったんです？」

裕之の低い問いに、探偵は答えた。

「彼女、君のもとに、君からプレゼントされた品物ばかり送ってきていたんだろう？　同棲する、という口先のセリフを抜きにして考えたら、普通は、そういう行動は、別れるときにとる種類のものだ」

そう……突っ返されていたのだ。贈り物を。

「彼女はきみに、実家の住所も教えていないらしい。仕事も訊いてみると、人材派遣会社だ。身軽に転職できる。君の前から姿を消しても、なんということもない」

そうか。だから、舞子の職業などを訊いたのだ。

「ただ別れるだけでなく、そんなやり方をしてはばからないのは、ほかに男がいるからだろうと思った。そして、君の目を盗んで、君に絶対気づかれないように、その男とデートをするには、君がキャンセルしてきたコンサート会場など、もっともいい場所じゃないか？　東京中のどこよりも安全だ。君が来ないということが、はっきりわかっている場所なんだから。彼女がそのチャンスを無駄にするはずがない。今夜だけでなく、過去にもそういうことをしていたのかもしれないよ……」

三十分ほど、裕之は声も出さずにじっとしていた。デカ長も探偵も、そのあいだは彼を放っておいてくれた。やがて、内ポケットから私を取り出すと、あの指輪の預かり証を抜き出し、ゆっくりと千切って捨てた。

彼は、できることなら私ごとそれを捨ててしまいたかったに違いない。私が姉から贈られたものでなければ、きっとそうしていたことだろう。

「これからどうするんです?」

裕之の言葉に、三十分間の無言の時などなかったかのようにすばやく、「第三の共犯者を探す」と、探偵は答えた。

「あの予備校生のように、歪んだ自己実現の夢を抱いている人物。そして、あの予備校生よりも、もっと危険な行動力を持っている人物。彼はたぶん、塚田に出会い、彼に『一緒に完全犯罪をやって、世間をアッと言わせてみないか』と誘われる以前から、ある種の問題行動を起こしていたと思う。そうでないと、いきなり殺人にまでエスカレートすることはないだろうから」

その言葉を嚙みしめるようにうなずいてから、しかし、裕之は言った。

「だけど、日本中から、いったいどうやってそんな人物をあぶりだすんです?」

「簡単だ」と、デカ長が答えた。「振り出しに戻る」

「振り出し?」

「北海道だよ。逸子が轢き逃げで殺された土地だ。同時に、あとに続く事件の出発点でもあった」

北海道。逸子の事件のときの塚田のアリバイは、はっきりしていない。彼がその時北海道に渡っており、逸子が殺されたとき、なんらかの理由でその場に居合わせたということはあり得るだろうか？

そしてその時、塚田は、第三の共犯者となる人物、実行犯となる人物と出会った――

「苦労したよ」と言いながら、探偵が何かをぽんとデスクの上に放ったらしい。ファイルのようだ。

「札幌市近郊で、昨年から今年にかけて発生した、未解決の傷害事件のファイルだ。このなかに、乗用車を使って若い女性やアベックを襲い、刃物で切り付けるという手口の事件が、十件記録されている。一昨年の夏から始まって、断続的に、昨年の十二月のはじめまで。そこで、ぴたりと止《や》んでいる」

そして昨年の十二月十五日には、都内で森元隆一が殺されている。

「おまえがいないあいだに、俺はこのファイルを五回は読んだぞ」と、デカ長が言った。

「始めようじゃないか。ここから」

犯人の財布

1

悪いことのできる子じゃない。絶対に悪いことのできる子じゃない。わたしにはわかってる。わかってるのに。

わたしが初めて三木一也《みきかずや》に会ったのは、もう五年も前のことになる。彼の身の回りをすべてとり仕切っている母親が、大学を卒業し就職する彼のために、衣類から靴、カバン、日常生活に必要な小物のひとつひとつまで、すべて揃えた。そのなかに、わたしも入っていたのだった。

わたしは、本革製の財布。

そしておそらくは、この世でいちばん危険な財布。危険な証拠を抱いている財布。わたしのなかには、一也が手をくだした四件の殺人の証拠が、ひとつひとつ、丁寧に磨かれ、折り畳まれ、あるものは傷がつかないように小さな布にくるまれて保管されている。

そう——わたしの持ち主、わたしの坊や、わたしの三木一也は、四人もの人命を奪った殺人者。

だけど、彼は悪いことのできる子じゃない。絶対に悪いことのできる子じゃない。わたしにはそれがわかっている。わかってるのに。

どうかお願い、聞いてちょうだい。わたしの一也のしてきたことを。

2

今でも思う。どれほどにか後悔をしながら。あのとき——もう一年以上前のことになる——一也があそこで塚田和彦という男にさえ会わなかったら、と。

あのころ、一也は会社を辞め、大学時代から通算すると八年間暮らした東京のマンションを離れて、一時的に実家に帰っていた。北海道札幌市の郊外の、洒落た勾配の赤い屋根と、本物の暖炉のある両親の家に。

当然のことだけれど、わたしは一也の子供時代を知らない。一也の母親が、彼の生活を支えるお金を入れることになるわたしを選んだときに、あるいは、彼女が折りにふれて上京し、一也の部屋を訪ねて掃除をしたり食事をつくったりしながら話していたことなどを、間接的に聞いて知っているだけだ。

一也は、学校の成績がとても良かった。先生たちのお気にいりだった。逆らうことも口ごたえをすることもなく、誰に言われなくても率先して教室を片付けたり、黒板ふきを叩いたり、花壇に水をやったりするような子供だった。

それは多分に、両親の教育が良かったからだろう。父親は、高校もろくに出ていない人だけれど、頭の切れと商才と、時代を見抜く眼力とで、小さな乾物屋を振り出しに、どんどん成功してゆき、現在では道内の主要都市に支店を持つ大きなスーパーマーケットの社長となっている。母親は、彼が札幌に最初の大型店舗を建てたとき、資金援助をしてくれた地方銀行の頭取の娘で、当時から美人で有名だったし、夫とは対照的に教養も深く、今だって、二十七歳になる息子がいるとは思えないほどの若々しい美貌の持ち主だ。夫婦仲も、とても円満。一也は一人息子だから、こういう両親の愛情を独り占めにして育ってきたということになる。

そして一也は、その両親の期待を裏切ることのない、優秀で素直でできのいい子供だった。大学だって、さして苦労して受験勉強していたような様子も見えなかったのに、東京の有名校の、第一志望の法学部にストレートで入学したというのだから、凄いでしょう。一也は本当に、多くの父親が、母親が、こんな息子がほしいと夢に見るような男の子だったのだ。

大学を卒業し、一也が最初に就職したのは、一流の商事会社だった。名前を言えば、十人のうち九人までは知っているような有名企業だ。父親は大喜びだった。息子が、自分の息子が、この国の経済を動かしているような大きな企業に、優秀な人材しか必要としていない企業に、セレクトされ採用されたということに、喜びを感じていたのだ。それは、自分の事業の成功とはまた違った形で、父親の生き方が正しかったことを裏付けてくれる事実であったのだった。

だから、一也がその商社を、入社後たった半年で辞めてしまったときには、父親は大きなショックを受けた。一也にいきなり殴り付けられたとしても、あれほどにはとり乱さなかったことだろう。

なぜ辞めるのか。その理由を、一也は、両親のどちらに対しても、あまり詳しくは説明しようとしなかった。

「なんでもないんだよ。ただ、僕にはああいう仕事はむいてないと思っただけさ。親父だって、若いうちにいろいろなことを経験しておいた方がいいって言っただろ？　僕はまだ、サラリーマンとして固まってしまいたくないんだ」

両親は、一応この話に納得したのか、うるさく詮索《せんさく》することはなかった。一也はしばらくのあいだ、東京のマンションで静かに暮らし、毎日本ばかり読んでいた。いえ、正確を期すならば、たくさんの本を買い込んでいた——というべきかもしれない。彼は毎日のようにわたしを連れて本屋にゆき、わたしのなかから一万円札をスイスイ抜き出して、代わりに、重そうな本を受け取っていたものだ。

東京の彼のマンションでは、わたしはいつも、所定の位置に置かれていた。一也の母親が、

「お財布とか、通帳とかは、ここに保管なさいね」と決めた場所。寝室のクロゼットの脇に置かれた小物入れのなかだ。だから、一也が部屋に帰り、わたしをそこにしまってしまうと、わたしは彼が何をしているのか知ることはできなくなってしまう。時々、足音や話し声が聞こえるだけ。

今考えてみると、一也のこの部屋を、女性が訪れたことは一度もなかった。ガールフレンドの一人さえ、ここには足を踏み入れたことがなかった。そのことが、のちになって一也が始めた所業と、根の深いところで繋がっているかもしれない……。

一也が女性を寄せ付けなかった理由——最初の会社を辞めた、この時点での理由は、わたしにもわかるような気がする。一也は母親を愛していたのだ。愛しすぎていたのだ。

そして、母親のような素晴らしい女性でないかぎり、自分を愛する資格はないと思っていた。そういう女性でなければ、つきあう意味などないと思っていた。

そういうものの考え方が、少しずつ、少しずつ広がって、彼を侵食して、彼の世界を削

っていった。私がそれに気づいたのは、その後一年半のあいだに一也が次々と転職を繰り返し、しかも、二つ目の会社よりも三つ目の会社、三つ目の会社よりも四つ目の会社という具合に、辞めるときに起こす騒動——上役との喧嘩、同僚との諍《いさか》い——が、大きなものにエスカレートしてゆくのを、つぶさに見ているときだった。

一也は全世界を相手に喧嘩をしようとしている。少なくとも、彼はそのつもりでいる。そして、なぜそんな喧嘩をするのかと問われたら、彼はきっとこう答えるだろう。

「世間の連中はみんな馬鹿なのさ。つきあっていられないよ」

そして、ちょっと面白そうに鼻を鳴らして笑うだろう。程度の低い人間と関わっていられるほど、僕は暇じゃないんだよ、という顔で。

何に対して暇がないの、一也？

何をそう急いでいるの、一也？

どうして周りの人たちと仲良くできないの、一也？

彼の上着の胸ポケットのなかで、ジーンズの尻のポケットのなかで、わたしは時々そう問いかけた。

彼は答えない。だけどわたしは、彼の心臓の鼓動を聞き、彼の身体の内側から答えがにじみだしてくるのを感じとっていた。

世間の連中は馬鹿ばっかりだ。俺と違って。俺の価値を誰もわかっちゃいない。俺が大きすぎるから、ちっぽけなヤツらの目には見えないんだ。

一也。あなたはもう小学生じゃない。言い付けられないうちに花壇に水をやっても、誰もあなたを誉《ほ》めてくれない。あなたの成績をつけている人はいるけれど、それはあなたを誉めるためじゃない。

広い世の中には、あなたぐらいの程度の能力・知力の持ち主は、たくさんいる。あなたが思っているよりもはるかにたくさんいる。両親があなたを誇りに思ってくれたように、両親があなたを自慢してくれたように、世間はあなたを扱ってはくれない——。

このころの一也は、わたしに、昔知っていたある仲間を思い出させた。合皮でできた札入れだったけど、自分を本革製だと思い込んでいた。そして、そうふるまっていた。自分の値札は間違っている。不当に安い値段がつけられているのだと、いつもそう主張していた。

だけどわたしは、ふと感じることがあった。あの札入れ、自分が合皮製であることを知っているのだ、と。それを認めるのが怖いから、周囲を見ないようにしているのだ、と。自分の本当の値札を無視しようとしているのだ、と。

一也のしていること、一也の行動にも、それと通底するものがあった——。

あのころ、一也は時々古い映画を観ていた。わたしは音しか聞いていないけれど、外国の独裁者で、「ヒットラー」とかいう男が出てくるものだった。そういう映画はたくさんあった。そして、大半は、その「ヒットラー」という男が悪役なのだった。

一也は、繰り返し繰り返し、そういう映画を観ていた。わたしのいるところにも、時には、群衆が「ヒットラー」にむかって歓呼の声をあげているのが聞こえてきたりした。

ドクサイシャ。そう呼ぶのだそうだ。

わたしには、それがどういう意味なのかよくわからない。人間のことは、よくわからないから。

だけど、あれほどに一也を惹きつけたものなのだもの、何かしら彼と似ているところがあったのではないかしら。

合皮でできた財布。だけど、自分は本革だと思っている財布。

自分の本当の値段を知ろうとしない財布のように。

一也もまた、自分は両親が認めてくれていたほど優秀な人間ではないと、気づいていたのではないかしら。そして、そこからもう一歩踏みだせば、自分は大勢いる人間のなかの一人であって、決して傑出しているわけではないけれど、そこに意味も価値も楽しみもあるのだと、わかるようになったかもしれない。

だけど、現実にはそうはいかなかった。一也は自分の値札に背を向け、それを千切って捨ててしまった。

二十五歳の時に、一也は転職の繰り返しを辞め、さすがに心配していろいろ口を出してくるようになった両親に、「司法試験めざして勉強する」と宣言した。

わたしはそれを喜んだ。どれほど喜んだかしれない。一也がいつも、わたしを持ち歩くようにポケット六法を持ち歩き、長い論文を読み、同じ方向をめざしている友人たちと、時には夜通し語り明かしたりしているのを聞いて、わたしは本当にうれしかった。

だけど、それもほんのつかのまのことだった。二十五歳の時と、二十六歳の時。一也は二度司法試験に挑戦し、どちらも二次試験で落ちた。

たいへんな試験なのだそうだ。特にこの二次試験は、文字どおり「落とすための試験」であって、ちょっとした不注意や勘違いがあっても命取りになってしまう。一也よりももっと何度も落ちている友人が話していたところによると、この段階で、二万数千人もいる受験者を、四千人ぐらいにまでしぼってしまうのだそうだから、問題も、ことさらに難しく意地悪につくってあるのだろう。

一也は、自分が落ちるはずはないと思っていた。それは確かだ。だって、一緒に落ちて、「来年も頑張ろうよ。コケの一念て言葉もあるんだからさ」と言ってくれた友人に、こう言い返したのだもの。

「冗談じゃない。おまえと俺を一緒にしないでくれ」

自分は振り落とされた。選別された。その事実を、一也は初めて露骨に目の前に突き付けられた。

今までだって、そうだったのだ。転職しても転職してもうまくいかないのは、やっぱり一也の方になにかの原因があるからで、それもある意味では選別されたことになるのだ。だけど、そのときはまだ、「俺の方から辞めてやったんだ」と、自分をごまかすことができた。

それが、今度は違う。彼は選別された。門前払いをくわされた。しかも試験だ。一也は学校で優等生だったのに。よもや試験で落とされるなんて考えてもいなかったのに。

一也を支えていたものが、たとえどれほど歪《ゆが》んだ柱であろうと彼を支えてくれていたものが、この時点でぽっきりと折れてしまった。わたしはその音を聞いてしまった。

両親に半ば請われ、半ば命令されて、一也は北海道に帰った。実家の屋根の下に。両親の翼の下に。だけど、一也は感じていた。両親が、もう今までのようには自分を誇りに思ってくれていないことを。

そして彼は、人を傷つけることを始めた。

3

この当時の一也の、昼間は寝ていて夜になるとどこへともなく車で出かけてゆく——という生活を、両親が、わけても彼の母親が、不審に思っていなかったわけはない。ただ、彼女は問いつめなかった。挫折し疲れている息子をこれ以上追い詰めてはいけないと、優しくすることばかり考えていた。

一也はそういう母親を無視していた。それはそうだろう。彼は、優しくなんてしてもらいたくなかったのだ。

尊敬してもらいたかった。崇《あが》めてもらいたかった。やっぱりあなたは凡人とは違うと認めてほしかった。それだけだったのだ。

彼が最初に襲ったのが、深夜のデートを楽しんでいたアベックだったというところに、わたしはひどく情けないものを感じる。一也は、守らなければならない女性がそばにいるということで、心理的には強くなるけれど、物理的には圧倒的に不利な立場に置かれている男性にしか、攻撃を仕掛けることができなかったのだ。

それでも、停まっている車に車ごと体当たりしてぶつかったり、バールで窓ガラスを割り、衝撃から立ち直った相手がドアを開けて出てくる前に逃げだす——そういうちまちまとしたことをやっているうちは、まだよかった。そういう一時的な暴力が、一也の内側に溜まりに溜まった支配欲、君臨したいという欲望を、うまくガス抜きしてくれているうちは。だけど、常習的に薬を飲んでいると、次第に量を増やさないと効き目がなくなってくるように、一也はどんどん強い刺激、強い満足感を求めるようになり始め、襲撃のテクニックも身につけてきて、狙った相手を車から誘い出し、こちらは車で追い回して遊ぶことを始めた。そうやって道から弾き飛ばし、大怪我を負わせたこともある。夜道を一人、愛車を駆って家路を急いでいる女性に、ガス欠を装って車を停めさせ、いきなりナイフで切り付けたこともある。どの場合でも、被害者が恐がって泣き叫んだり、驚きで動けなくなってしまったりすることに、一也は大きな満足感を覚えていた。

　そのうえ、彼は捕まらなかった。襲撃のときはいつもストッキングをかぶっていたし、車のナンバーも土で汚しておいたから、被害者たちには目撃されない。そして、現場を離れたら、今度はパトカーに見咎《みとが》められないようにきれいに掃除しておく——という方法をとっていた。

　今や、人を襲って恐怖を与え、支配欲を満足させるということのうえに、犯罪をおかしても捕まらない、警察を手玉にとっているという快感が一枚加わるようになった。

おまけに、この一連の事件のことは、地元の新聞でも取り上げられるようになっていた。

注意を促す記事も載せられた。

　一也は、何も知らない馬鹿な世間を騒がせ、話題になっていた——。

だから、昼間の彼は上機嫌だった。学生時代の明るさを取り戻したようだと、両親は安堵していたくらいだ。もうしばらくうちでのんびりして、今後どうするかじっくり考えてみるといい、などと言っていたくらいなのだから。

　だけど、わたしは知っていた。当時の一也は暴走の一歩手前だったということを。だって、さらに強い刺激を求め、銃を手に入れようとしていたのだから。

いっそ、そのまま暴走してしまえばよかったのだ。そうしたら、きっと警察に捕まっていた。彼が病気であると、治療し、救《たす》けてやらねばならない人間であると、周囲が気づいてくれただろう。

でも、現実にはそうはならなかった。

あの夜、雪のやんだ深夜、郊外の牧場の近くで、あの枯れた雑木林の木立ちが痩せ衰えた骨のように夜空にむかって突き出している場所で、塚田和彦という男に会ってしまったから。

4

あとになってわかったことだけれど、あの夜、塚田和彦は——もちろん、その当時はまだ、彼と一也はお互いの名前など知らなかった——彼自身の殺人計画のために、現場の下見をしていたのだった。

そこへ、一也が現われた。和彦が一人でいるのを見て、いつものような格好の獲物だと考えた。そして車で近寄った。

塚田和彦は、雑木林のはずれに車を停めて、その周辺を歩いていた。ストッキングをかぶった男が運転する車が、自分の方へ突進してくるのを見つけたとき、彼はとっさに自分の車のそばへ駆け戻った。塚田が頭から運転席に飛び込んでドアを閉めたとき、一也の車が勢い余ってバウンドしながらその脇腹に突っ込んだ。

目測を誤り、ブレーキをかけるタイミングをはずしてしまったのだ。一也にしては初めての失敗だった。軽い脳震盪《のうしんとう》を起こして動けなくなってしまった一也を、割れたガラスで眉間を切り、血を流しながら這《は》い出《だ》してきた塚田和彦が捕まえ、運転席から引きずりだした。彼は一也の衣服を探り、わたしを取り出すと、運転免許証を探しだして、身元を確かめた。それから車内を点検し、一也がいつも「襲撃」に使っているナイフも見付けた。

あの時の、塚田の顔。わたしを調べていたときのあの表情。驚愕《きょうがく》で、目の周囲が真っ白になっていた。

「おまえ、なんでこんなことをするんだよ？　何が目的なんだ？」

意識を取り戻した一也は、「警察を呼べよ」と捨《す》て鉢《ばち》を言った。

「こんなことをして面白いのか？」

一也は答えなかった。塚田はしゃがみこみ、一也の襟首をつかんでぐいと引き寄せると、

「じゃ、警察を呼ぼうか。おまえ、こんなことをやるの、初めてじゃないんだろう。今朝、ホテルで読んだ新聞に出てたよ。アベックや女の子を車で襲って切り付ける男がいるって――」

塚田和彦は、そこで笑った。親しげに、一也に笑いかけたのだ。世界中の昆虫の標本をつくろうとしている人間が、これまで誰も採取したことのない、貴重な醜い毒虫を見つけたときのような、うれしげな、楽しげな笑いだった。

「行けよ」と、彼は言った。「逃がしてやるよ。おまえも面白い男だ。警察なんかに引き渡すのはもったいないない」

これには、一也の方が驚かされた。すぐには動けなかった。

「どういうことだよ？」

「おまえは、俺の役に立ってくれそうだってことさ」

あとで連絡するよ――そう言って、塚田は一也の運転免許証をしまい、わたしを一也の膝の上に投げ返した。

そして、それから半月後、本当に連絡してきたのだ。そのとき、一也は、塚田和彦の名前と、彼が心に抱いていた計画――遠大な計画を知らされ、

「どうだ、協力しないか？」と持ちかけられたのだった。

「というより、嫌だと言ったら俺はおまえのことを警察に報らせるまでのことなんだけどさ。そんなの、お互いに損じゃないか」

一也としては、警察に突き出されたら困るというよりも、塚田和彦と彼の提案している計画に惹かれて、耳を傾けたのだとわたしは思う。

塚田和彦は、のちに起こった一連の保険金目当ての殺人事件の計画を、このときすでにつくりあげていた。

標的になるのは、彼の愛人の森元法子の夫、森元隆一。それから、彼がこれから結婚しようとしている早苗という女性。彼女は、保険金をかけられ殺されるために、塚田の伴侶《はんりょ》として選ばれた女性だった。塚田は彼女のことなんて、これっぽっちも愛していなかった。彼女は、保険をかけるために必要な、ただの名前でしかなかったのだ。

そういう計画を立てることに、少しの心の痛みも、良心の呵責《かしゃく》も感じない。

「やりたいことはいろいろあるんだ。だから金も必要なんだが、目的はそれだけじゃない。俺は自分の頭の働きを信じてるから、こいつをフルに使いたいんだよ」

塚田という男と一也には、似ている部分があったかもしれない。ちょうど、夜と闇が似ているように。だが、一也がなりそこなった独裁者なら、塚田和彦は愛想のいい誘惑者だった。彼は人を手のなかで転がす。ひいては世間を、社会を自分の手のなかで操りたいと思っているのだ。

「計画はできてるんだ。ただ、今のままだと、どうやってもやっぱり俺が疑われるんだよな。だから、実際の犯行は、やっぱり違う人間にしてもらわなきゃならないと思い始めてたところだった」

どうだ、手を貸してくれないか――と、塚田は言った。

「気持ちいいと思うよ。世間が大騒ぎしている事件の犯人が、君なんだ。俺なんだ。バカどもには永遠に真相がわからない。君だって、アベックを襲うなんて嫌がらせみたいなことをしてたってつまらないだろう？　もっと計画的に、でかいことに手を出してみないか……。もちろん、金にもなる」

「金なんか要らない」と、一也は言下に言った。「金ならあるんだ。金なんか問題じゃない」

それを聞いたときの塚田和彦の顔は、そう——月が笑ったという感じだった。自ら光を発することのない、青白い死の星。

こうして、彼らは手を組んだ。

最初に殺されたのは、塚田の別れた妻の逸子という女性だった。塚田が一也と会ったとき練っていたというのは、彼女を殺すための計画だったのだ。

「実を言うと、これは余計な殺しなんだ。逸子のやつ、いろいろと俺を逆恨みして、憎んでてね。もとは東京にいたもんだから、友達もいるし、そういう連中の口から、俺が早苗と結婚することを聞いたらしい。ところが、逸子は、俺には森元法子っていう女がいることを知ってるからさ。法子とできちまったんで、逸子と別れたからね。だから、逸子のヤツ、早苗にそれを密告しようとしている節があるんだよ。邪魔でしょうがない」

だから、片付けようというのだ。

「いい予行演習になると思うしな」

そして、彼女の死を皮切りに、殺人が四つ続いた。その経過については、ご存じの方が多いと思う。

警察に疑われ、マスコミに騒がれ、話題の主になる。しかし、塚田も森元法子も殺人に手を染めてはいない。実行犯は一也なのだし、計画を実行し始めたら、うかつに連絡を取り合うようなこともしない。

塚田と法子は、疑われても仕方のない状況をこしらえあげながらも、それぞれのアリバイを、ひとつはちゃんと用意しておく。それが警察の捜査で浮かび上がるか、証人が自ら現われてくるか、どちらにしろ、いつかは潔白を証明することができる。

そうなれば、塚田と法子は時の人だ。人生は刺激的になる。面白くなる。法子は退屈な結婚から解放される。

おまけに、保険金。

今や、塚田と法子はマスコミの寵児《ちょうじ》だ。テレビでも雑誌でも、ひっぱりだこになっている。彼らはさぞかし幸せだろう。満足だろう。

そして一也も、四人もの人命が失われている大事件の捜査に失敗し、マスコミからも世間からもこっぴどく叩かれている警察を尻目に、一人、支配者の喜びにひたっている。

誰も知らない真実を握っていることの、この痛快さ。

慎重にするならば、警察やマスコミあてに文書を送ることもできるかもしれない——ったい最近、塚田が一也に電話をかけてきて、二人でそんなことを話し合っていた。

一也が犯行声明を出すのだ。それで事件はまた盛り上がり、「真犯人」の登場で、塚田と法子はまた舞台の中央に引き出される。

実に刺激的。実に愉快。しかも、実益もある。マスコミはこぞって塚田と法子の争奪戦を繰り広げているので、二人に支払われる契約金や出演料はうなぎのぼりになっている。おまけに、二人それぞれが手記を書いて出版するという計画もできていて、それでまた印税が入るだろう。ベストセラー間違いなしと、版元は大乗り気になっているという。

わたしは電話を漏れ聞いているだけだから、詳しいことはわからない。でも、そういう実益のうちのいくぶんかは、一也の方にも分け与えられているようだ。

だが、それ以上に、彼は今名誉を得ている。密かだけれど、まったく人に話すことができないわけではない名誉。匿名の文書でなら、あるいは声だけなら、保険金四重殺人の真犯人は、どこへでも登場して世間の話題をさらうことができるのだから。

一也は、やっと、彼の本当の価値を世間に知らしめたのだ。

そしてわたしは、彼の殺人の証拠、戦利品を抱いている。

ひとつ殺人を犯すたびに、一也はそこから記念品を得てきた。太田逸子の時は、彼女のコートのボタン。森元隆一の時は、彼のネクタイピン。ただ殺されるために結婚したような、不運な塚田早苗の時は、彼女の指輪を。そして、もう一人、森元隆一の馴染みのホステス・葛西路子の時は、彼女の髪の一部を切って持ち去ったのだった。

このホステスは、不運な女だった。無分別な女でもあった。森元隆一が殺され、未亡人の法子が保険金を手にしたとき、マスコミの「法子が怪しい」という扇動にうかうかと乗って欲を出し、実際には何も握っていないのに、さも法子の弱みを握っているかのような態度をとって、彼女を脅してきたのだ。強請ってきたのである。

だから、殺された。

こっそりと一也を訪ねてきて祝杯をあげながら、法子は言っていたことがある。

「あのホステスが何を知っていたのか、わたしは全然知らないの。たぶん何も知ってなくて、全部はったりだったに違いないと思ってるけど、もともとそんなことはどうでもいいのよ。だって、どっちみち一也さんに片付けてもらえばいいんだもの。それに、彼女を片付けちゃった方が、騒ぎが大きくなって楽しいじゃない？　だからわたし、あのホステスにちょっと脅しをかけて、わたしの方が強い立場にいるんだってことを思い知らせてやったのよ」

ホステスの死体を埋めるとき、一也は、彼女を運ぶ途中で、彼女の財布をどこかに落としてしまったらしいことに気がついた。それと、見付けて回収してきてほしいと法子から頼まれていた、もとは法子のものだったネックレスも、ホステスの身の回りに見当たらなかった。そのために、ホステス殺しのあとは、多少面倒なことになったのだけれど、今になると、それも事件を複雑にするうえで役に立ち、また面白いことだったと、法子は言っていた。

そして残されたのは、四人の死者と、四つの遺品。一也の戦利品。

それらのものを、一也は大切にわたしのなかに保存している。わたしはそれらのものを抱いて、彼と共にいる。それらは、彼がひそかな勝利者、警察よりマスコミより一枚上手の人間であることの証拠。

わたしは、革でできた墓標のようになってしまった。

悪いことのできる子じゃない。一也は絶対に悪いことのできる子じゃない。わたしにはわかってる。わかってるのに。

だけど、彼は四人もの人を殺してきた。それを悪いことだと思っていないから、だから彼はそうしてきた。

すべては彼の——塚田の、法子の、一也の計画どおりに、彼らの満足がいくように。

ほんの少しではあるけれど、事態の雲行きが怪しくなってきたのは、半月ほど前からのことだった。

5

その当時、塚田と一也はひっそりと頭を寄せて、犯行声明をどのような形で世間に出そうかと考えているところだった。そこへ、まったく別の、まったく事件とは関わりのない人間が名乗りをあげて、自分が犯人だと騒ぎ始めたのである。

この偽の犯人は、当初、警察ではなく、ある私立探偵にアプローチをしていた。この探偵は、塚田早苗が殺される前に、彼女から夫の素行調査を依頼されていた男であり、そのために、今回の一連の事件にからんで、何度かマスコミの取材を受けていた。そのために、偽の犯人に、彼をプロパガンダしてくれるパイプ役として選ばれたのだろう。

警察も、一応は乗り出して、この自称「犯人」を取り調べた。そして、彼らが白か黒かの決定を出さないうちに、マスコミが大挙して押し寄せた。

こういう展開になってからというもの、一也は毎日のようにテレビにかじりつき、ニュースショーやワイドショー番組ばかりを観ていた。自称「犯人」の登場で、塚田も法子もまた派手に騒がれているが、一也としては面白くないのだろう。イライラして、乱暴にごみ箱を蹴飛ばしたりしている音を、わたしは聞いた。

自称「犯人」から最初にアプローチされた探偵は、彼が本当の真犯人であるかどうかについてのコメントは、慎重に避けている。が、まったく可能性がないわけでもないというような台詞をもらしたりもしており、それがまた一也の神経に触れるのだろう。

一也は、犯人の登場で、それまで以上に忙しくなってしまった塚田と、なかなか連絡をとることができなかった。どんなことであれ、単独行動はできないから、それでなおさら苛《いら》ついている。自称「犯人」の登場から約一週間後、ようやく、彼と電話で話をすることができたときには、最初から大声を張り上げていた。

「いったいどうなってるんだよ！」

塚田は懸命に宥《なだ》めているようだ。一也は息を切らしていた。

「なあ、こうしないか？　俺が犯行声明を送る。三大新聞と、ネットワーク局のニュース番組に。そのときに、証拠として、そうだな……森元隆一のネクタイピンを同封するってのはどうかな？　それなら、こっちの方が本当の犯人だって証拠になるし、インチキ犯人をいっぺんに追放することもできるだろ？」

塚田は賛成したらしい。だから翌週は、週明け早々から、嵐のような騒ぎがまき起こった。ネクタイピンの効果は絶大だった。

あるテレビ局では、ゴールデンタイムに特別番組を設け、スタジオに五十台の電話を引いて、この事件に対する視聴者の意見を集めると同時に、真犯人に対して「ぜひ電話をくれるように」と呼びかけた。

番組の最後に、二時間足らずの特番のあいだに、二十人ほどの「犯人」からの電話があったと報告された。一也はそれを聞き、腹を抱えて笑っていた。

もちろん、彼は電話なんかかけなかった。


一也は、見えない犯人としてマスコミに注目されたことで、ほとんど気が違いそうになるほどに喜んだ。

彼はずっと定職についていない。それを心配した両親から、時々電話がかかってくる。それに答える彼の声は、一生をかけてやりとげるべき目標を見付けた人のように、生き生きとして張りがあった。彼の両親が、そんな彼の様子にどれだけ安堵しているかと思うと、わたしは身が縮む思いだった。

そして、わたしのなかに葬られている、あと三つの死者の記念品のことを思った。

一也は、時々、わたしのなかからそれを取り出してながめている。そういうとき、彼は、今まさに自分の代表作を描き終えたばかりの画家のような顔をしている。自分が生きていることの意味はここにあるのだ、というような顔をしている。

ところが——

ネクタイピンの衝撃が冷め始めたころ、それを見計らったように、舞台の隅に追いやられてしまったはずの例の自称「犯人」が、また舞い戻ってきて注目を集め始めたのだ。最初に彼と話をした、あの私立探偵が仕掛けていることであるらしい。探偵も、今度の事件で渦中の人となり、マスコミに追われることの面白さを覚えてしまったのだろうか。突飛なことを言い出したのだ。

偽の自称「犯人」が、真犯人が誰だか知っているのではないか、というのである。警察は、こういう騒ぎにはタッチしない。が、マスコミは大喜びだ。探偵と自称「犯人」は、あちこちで取り上げられるようになった。

探偵は、仕事柄、世間に顔を知られてはまずい。そして、自称「犯人」の方は、プライバシーの保持のため、やはり顔は公にできないという。だが、画像処理された二人のぼんやりとした姿は、テレビ電波に乗って全国に送られた。多くの人が二人を見、二人の話を聞いた。

自称「犯人」は、都内のアパートで一人暮らしをしている二十歳の予備校生であるという。話し方はまだ幼く、少し愛嬌《あいきょう》を感じさせさえする。彼の身元は厳重に隠されているが、詮索好きでルールを守らない一部のマスコミは、彼のパーソナルデータをつかんで報道しようと、躍起になっていた。その結果、少しずつではあるが、彼の身元をつかむための手がかりとなりそうな情報も、漏らされるようになってきた。

自称「犯人」は一也のことを知るはずもない。彼の言っていることも、あの探偵がそれにくっつけているもっともらしい注釈も、すべて大外れだ。一也はそれを、匿名のマスコミ宛て手紙で、何度も訴えた。真犯人である彼の「名声」を、こんな不当なやり方で横取りされてはたまらないと思っているのだ。

その結果、騒ぎはますます拡大した。塚田と法子は、これでもまたひと儲けをした。真犯人のために濡れ衣を着せられそうになった二人の言うことに、世間は耳を傾ける。

この騒動は延々続いたが、それでも、一カ月ほどたつと、さすがに少しずつ沈静化してきた。それを見計らって、一也は塚田に連絡をとった。

「例の予備校生の身元、なんとかつかめないかな？　あんたになら、マスコミの人間たちだって教えてくれるんじゃない？」

そんなことを知ってどうするんだと、塚田が訊ねたのだろう。一也は落ち着きのない口調で答えた。

「殺すのさ」

いつもの小物入れのなかで、わたしは彼の声を聞き、それを自分のなかで反芻《はんすう》した。殺すのさ。

「あいつには、さんざん嫌な思いをさせられたからね。それに、あの探偵にも。あいつは僕を二浪もするような馬鹿と一緒くたに扱ったんだ。この事件が、あの予備校生みたいな頭の悪い人間にやれることだと思うなんて、あの探偵も知能指数が低いよ」

塚田がなにか言っているのだろう。それも、懸命に言っている。何度か話に割り込みかけて失敗し、最後には、一也は大声を出した。

「あんたも馬鹿だな。僕がそんなへまをするわけないじゃないか。あの予備校生を殺したら、すぐに犯行声明を出すよ。テレビで報道されたあいつのプロフィールは、画像処理したり匿名にしたり、いろいろやってたけど、そういうものを手がかりに、僕が独力で調べてあいつを特定したんだって宣言するさ。誰も、真犯人があんたの口からヤツの身元を聞いたんだなんて考えるもんか」

塚田はまだなにか言っている。一也は笑った。

「心配性だな。大丈夫だって。それに、このところ、僕らの事件は少し下火になってるだろ？　もう一度大きく火を起こすためには、あの予備校生はちょうどいい獲物だよ」

いろいろ理屈をつけているけれど、わたしは一也の言葉を信じない。彼は純粋に怒っていて、腹いせをしたいだけなのだ。自分の「名誉」を横取りしようとしたあの予備校生が許せないのだ。

それから十日ほどたって、塚田から連絡があった。親しい雑誌記者から、自称「犯人」の予備校生の身元を聞き出したというのだった。

「やっぱり、あんた、マスコミとすっかり仲良しになってるんだね」と、一也は笑った。

「まあ、見てなよ。怒れる真犯人が偽の犯人を処分するから。僕がそれをやってのけたら、あんたも法子さんも、また猛烈に忙しくなると思うから、覚悟しておいた方がいいよ」

6

一也は利口だ。一也は冷静だ。だから、じっくり時間をとり、慎重に準備をした。

マスコミの興味が離れ、渦中から抜け出したあと、自称「犯人」の予備校生は、親元に帰っていた。東京から電車で二時間ほど、深夜に車なら一時間とかかることのないベッドタウンだ。一也は楽々そこを見つけだし、辛抱強く計画を立てた。

そして、神は時を大切にする者を愛《め》でられる。とうとう、一也はチャンスを得た。最初の逸子殺しから一年半。五月も末の、夜気にまで青葉の匂いの混じるような季節だった。

このころには、もう、さすがのマスコミも予備校生をマークしてはいなかった。一也は塚田の手を借りて情報を集めてもらったが、警察も、特に護衛のようなものをつけてはいないという。

塚田の話によると、警察とマスコミから解放されたあと、この予備校生は、精神科の医者に診てもらっているらしい。口から出任せの嘘を言い、やってもいない殺人を告白した彼を、彼の周囲の人間は、誇大妄想狂だと考えたのだろう。

それでも、日常生活には特に制限があるわけでもない。それならいっそ、マスコミ関係者を装い、電話をかけて、取材と称して呼び出そうか——一也は、塚田と、そんなことも話し合っていた。

しかし、様子をうかがっているあいだに、もっとも簡単な手があることを発見した。予備校生は、深夜に時々、近くのコンビニエンス・ストアに買い物にいく習慣があるのである。

これを逃す手はない。

そして今、一也は待っている。予備校生が出てくるのを。今夜は出てこないかもしれない。あるいは出てくるかもしれない。どっちへ転ぶか、それはお楽しみだ。時間なら充分にある。今夜が駄目だったら、また明日来ればいい。車を停める場所も慎重に変え、近所の連中に怪しまれたりしないように気をつけているから、大丈夫、チャンスが来るまで幾晩でも続けられる。

わたしは一也の上着の内ポケットのなかにいる。彼の心臓がどきどきしているのを感じる。

わたしは願っている。神様、一也を失敗させてください。また新しい犠牲者の記念品を抱くのは嫌だ。彼を止めてください。すべてを終わりにしてください。

でも、その願いは虚しかったようだ。

予備校生が出てきたのだろう。一也はゆっくりと動きだし、車から外に出た。

またナイフを使うのだろうか？　それともほかの凶器を？

一也は次第に早足になる。呼吸がはずむ。相手との距離をつめているのだ。その手が動き、上着の外ポケットから何かを取り出した――。

ああ、ナイフだ。きっとそうだ。またナイフを使うのだ。

だが、そのとき、一也の足が急に止まった。唐突な止まり方だった。

それから、彼は回れ右をした。これも激しい動き方だった。そして走りだそうとし、また止まった。

「やっぱり現われたね」と、誰かの低い声が言った。

男の声だ。聞き覚えがある。どこかで聞いたことがある。

あの、探偵の声だ。

「きっと来ると思ってたよ。君の顔を見るのは初めてだが、我々はもうずいぶん昔からの知り合いのような気がするね」

「ナイフを離しなさい」と、別の男の声が命じた。

一也の腕がゆっくり下がった。わたしはそれを、わたし全体で感じた。

「ああして、偽の犯人を登場させたなら、プライドの高い君は、きっと怒るだろうと思った。そして、偽の犯人のそばに現われるだろうと思った。警察はこんな囮《おとり》捜査はできないが、私は民間人なんでね。こうして罠《わな》を仕掛けて待っていたんだ。言っておくが、君がナイフを振りかざして襲おうとした相手は、私の知り合いの調査事務所の所員だよ。歳格好が似ているんで、代役をしてもらったんだ。本物の、自称『犯人』の予備校生は、家のなかにいるよ……」

その時になって、わたしはやっと、一也が囲まれていることを悟った。だから動けないのだ。右にも左にも、前にも後にも。

そして、一也が捕まれば、いずれは塚田も法子もそうなる。動きがとれなくなる。

「警察は、囮捜査はできないが、張り込みはできる」

と、さっき聞こえた別の男の声が言った。

「抵抗しても無駄だ。いいね。今そっちへ行くから」

その言葉が終わらないうちに、一也は走りだした。無言で、ただ走りだした。だがものの数歩もいかないうちに、四方八方から飛びかかられ、もみくちゃにされて押え付けられた。彼の腕が背中に回され、手錠がかけられる。

がちゃり。その音が、闇のなかに響いた。

「身元を確認するんだ」

誰かの指示が飛んで、一也の上着やズボンのポケットを、武骨な手が探り回った。ことここに至って、ようやく感情がよみがえってきたのか、一也は大声で叫び始めた。

きっと、わたしのことを思い出したのだ。わたしのなかに保管してある、犠牲者たちから奪った戦利品のことを。

武骨な手がわたしを探り、ポケットから取り出した。街灯と懐中電灯のまぶしい光の下にさらされたわたしは、こちらをのぞきこんでいるたくさんの顔、顔、顔を見た。わたしを持っているのは制服姿の巡査だった。

少し疲れ、少し絶望したように眉間にしわを寄せている男がいる。その隣りに、彼よりも小柄で年配の、同じように厳しい顔をした男がいる。

「これは……」

わたしをのぞきこみながら、最初の男が呟いた。あの探偵の声だった。

「逸子のコートのボタンだ」と、隣りの男が言った。声が裏返りそうになっていた。

「この髪の毛は——」

「たぶん、葛西路子のだ」と、探偵が言った。顔が青ざめたようだった。「彼女の髪だよ」

「これは？」と、指輪が光のなかにかざされる。

「塚田早苗の指輪だよ」

そう——わたしはこれらをずっと抱いてた。これらの証拠を。

制服警官の手のなかから、わたしは一也を見おろした。地面に膝をつき、傍らの車のドアに頭をもたせかけて、顔をそむけていた。

悪いことのできる子じゃない。わたしはそれを知っていたのに。

わたしは、たった今掘られたばかりの墓のように空っぽになって、一也を見つめていた。

事件は、ようやく終わったのだった。

エピローグ

再び、刑事の財布

私は深夜に起こされた。

まず、足音が聞こえた。私の主人の足音である。座敷の畳を踏んでこちらへやってくる。あるじは、一時の入院以来かなり痩せてしまったので、このごろでは、私は時々、彼の足音を、細君の軽い足音と聞き間違えてしまうことがある。だが、今夜は大丈夫だった。

主人は上着を取り上げ、腕を通した。するりという音がして私は少し揺すぶられ、然るべくして、あるじの胸の上に落ち着いた。

いつもの場所である。私よりも主人の心臓に近いところにいるのは、主人の警察手帳だけである。私は、いまだに彼と交信したことがない。彼は私よりもはるかに年長であり、常に忙しいか忙しいふりをしており、職業柄沈黙が好きなのである。

「何の電話だったんですか」

細君の声がした。眠たげである。

あるじは、「うん、ちょっとな」と返事をした。

「何かあったの？」

あるじの声に、かすかだが、懸念の色が混じっていた。

「小宮雅樹って子を覚えてるか」

細君は、「ああ……」と言った。「例の事件の？」

「そうだ。殺された塚田早苗の甥っ子だよ」

その子のことなら、私も知っている。まだ小学校の六年生だが、なかなかしっかりした子で、私のあるじを悩ませていた、保険金四重殺人事件の犯人の一人である塚田和彦の正体を、非常に早い時期から見抜いていた。

「あの子がどうかしたんですか」

「家出したらしい」

細君は「まあ」と声をあげた。

「母親から警察に通報があってね。おばさんの死と、今度の事件全体に、ひどいショックを受けているところだから、気をつけて様子を見ていたそうなんだが、両親が寝静まったあとに、窓から部屋を抜け出したらしい」

「どこへ行ったのかしら」細君は、完全に母親の声になって言った。「あの子、怪我はよくなってるの？」

「骨折の方は、順調によくなってきてるらしいが、心の傷が問題だな」

「かわいそうねえ」と、細君が溜め息まじりに呟いた。「あなた、その子を探しに行くんですか？」

「うむ」と、私の主人は歩きだした。「心当たりの場所があるんでね」

あるじの勘はあたっていた。小宮雅樹は、半年以上前、彼の叔母である塚田早苗の遺体が発見された、羽田空港近くの倉庫の駐車場にいたのだ。


「こんな時間に、散歩かね」

何かを跨《また》ぎこすような動作をしてから、ゆっくりと腰をおろしつつ、私のあるじは言った。胸ポケットのなかで、私は、主人が小宮雅樹と肩を並べて、コンクリートブロックか古タイヤの上に座っている光景を思い浮かべた。

「刑事さん……」少年の、かぼそい声が呟いた。「どうしてここへ来たの？」

あるじは質問には答えず、「お父さんやお母さんが心配してるぞ」とだけ、言った。

少年は黙っていた。

私のあるじは、上着の外ポケットから煙草を取り出したようだ。やがて、ライターをする音がした。心臓によくないのに、どうしても禁煙できない。

「まだ、折り合いがつかないんだろう」

ややあって、あるじの静かな声がそう言った。

「早苗おばさんの身に起こったことは、たいへんな悲劇だった。あんな優しくて素敵なおばさんが、どうしてあんな辛い目にあわされて命を落とさなきゃならなかったのか、君にはわからない。どう説明されても納得できない。そうだろう？」

遠くから、車の行き交う音がかすかに響いてくる。それにかぶるようにして、夜風が吹き抜けてゆくのも聞こえる。うつろな骨の鳴るような、哀しげな音だ。

「眠れないの」と、少年は囁いた。

「そうか」

「夢を見るんだ。早苗おばさんの夢」

「どういう夢だね」

「おばさん、泣いてる」

「いつも？」

「うん。辛くて、夢見るの嫌なんだ。だから眠れない。いつもなら、我慢して部屋に閉じこもってるんだけど、今日は何だか、それも嫌で……気がついたら、ここに来てた」

「どうやって来たの」

「ヒッチハイク」

「ほう——怖くなかったかい？」

「全然」少年の声は平坦だった。「怖い目にあわされても、なんてことないと思ってるから。今以上に悪いことにはなりっこないものね」

　小さくそう言って、少年は黙った。二人で黙り込んでいた。

「刑事さん」

「なんだい？」

「あいつら、死刑になる？」

　少し間をおいてから、あるじは答えた。「それはね、裁判所が決めることだ。私には、確かなことを言ってあげることはできない。無責任な発言をすることになるからね」

　少年は何も言わない。私は、彼が泣いていないといいが、と思った。いや、逆だろうか。泣いてくれた方がいいのかもしれない。胸につかえているものが、涙で洗い流される――。

「今度の事件には大勢の人たちが関わって、みんなそれぞれに影響を受けてる」

　私のあるじは、あいかわらず淡々とした口調で言った。

「雅樹くん、君もそうだ。私だってそうだよ。こんな事件を扱ったのは初めてだったしね」

　かくいうあるじは、この事件の捜査が始まったばかりのころに一度倒れて入院し、以来、薬なしには行動することのできない要注意人物になってしまった。ポケットに入れておくとすぐに失くしてしまうからと、細君は、一日に飲まねばならぬ所定の量を、常に私のなかに入れて持って歩くように勧めている。財布なら、どこにいくにも持って出るし、めったなことで紛失したりしないからだ。

「大勢の人の人生が、今度の事件で変わってしまった」と、あるじは続けた。「殺された四人の人たちはもちろんだが、ほかにもね」

少年が小さく訊いた。「あの、自分の婚約者は塚田和彦に殺されたんだって思い込んでた女の人は？　今どうしてるんですか」

「雨宮杏子さんだね」

少年の前だからかもしれないが、あるじは彼女を呼び捨てにはしなかった。

「彼女なら、病院にいるよ。あのひとは病気なんだ。心のね」

「あの……ホステスさんの死体を発見した人は？　バスガイドの人」

「彼女なら、元気で働いてるよ。もっとも、親友とのあいだは元どおりにはならなかったようだがね」あるじは言って、ちょっと笑った。「あの事件のとき知り合った刑事とつきあっているらしいよ。そういう噂も聞いた」

「……そう」と、少年は呟いた。「じゃ、幸せな人もいないわけじゃないんだね」

「そうとも」

あるじは言って、左腕を動かした。どうやら、少年の肩を抱いてやったらしい。

「早苗おばさんを亡くしたことを悲しんだり、おばさんを殺した連中を憎んだりすることは、いくらでもやっていいよ。だがね、おばさんを助けることができなかったといって、自分を責めるのはやめなさい。それは筋違いのことだから」

それきり、どちらの声も聞こえなくなった。

大きな背中と小さな背中が寄り添って、夜風の下で並んでいる——

「やっぱり、ここにいたか」

新しい声が、そう呼びかけてきた。あるじは声の方向に振り向いた。

私にも聞き覚えのある声だ。この事件であるじと行動をともにした、探偵である。

「なんだ、あんたのところにも連絡が行ったのか」

あるじが尋ねると、探偵はこちらに近寄ってきながら、小宮雅樹に向かって言った。

「君んちの周りを、パトカーがぐるぐる回って拡声器で呼びかけてる。近所の人たちも探し回ってるよ」

あるじの左腕がまた動いた。ぽんと、肩を叩いたのかもしれない。

「いいよなあ。探させとけ。今夜は気が済むまでここにいよう。おじさんたちもつきあうから」

探偵も腰をおろしたようだ。二人で少年をはさみこみ、夜風からかばうようにしているのかもしれない。

「雅樹くん、君に返すものがあるんだが」

探偵の言葉に、少年が久しぶりに声をだした。

「僕に?」

「うん。本当は、早苗さんに返すべきものだったんだがね。彼女からの預かりものだから」

少し間があいた。探偵がコートか上着のポケットを探っているのだろう。かすかに衣擦れの音がする。

「これだよ」と、彼は言った。「うちの事務所にきたとき、早苗さんがつけてたイヤリングだ。事件が解決するまで預かる約束になってたんだよ」

探偵の声が、少し低くなった。

「こんな形になってしまって、残念だ」

どんなイヤリングだろうかと、私は考えた。少年はそれを小さな手のひらに、どんなふうにして載せているのだろう。

あたりは静かだった。二人の男は無言だった。小宮雅樹が泣いているとしても、彼もまた、声をたててはいなかった。

ずいぶん長いこと、三人はそうして座っていた。私は夜風の奏でる虚ろな音を聞いていた。

やがて、小宮雅樹が言った。

「おじさんたち、僕をうちまで連れて帰ってくれる?」

私のあるじと探偵は、少年と手と手をつなぎあって、人けのない夜道を拾い歩いた。彼らはそうやって、長い長いあいだ歩き続けた。まるで、この事件の解決までの道程を再現するかのような、真っ暗な深夜の行軍。思い思いの足取りで、三人は歩いてゆく。小宮雅樹の家に着くころには、たぶん、東の空を朝焼けが赤く染め始めることだろう。

解説

大森《おおもり》　望《のぞみ》
（評論家）

なんとこれは、財布が語り手をつとめるミステリーなのです……。

本書『長い長い殺人』は、とりあえず真っ先に、そんなふうに形容される。しかも、登場する財布は、刑事の財布、強請屋《ゆすりや》の財布、少年の財布、探偵の財布、目撃者の財布、死者の財布、旧友の財布、証人の財布、部下の財布、犯人の財布……と、全部で十個。それぞれの財布が自分の持ち主の行動について物語る話がひとつずつ独立した短編になり、それが十個合わさって（＋エピローグ）一冊の長編を構成する。

十人十色ならぬ〝十個十色〟と言うべきか、語り手の財布にはそれぞれ個性があり、口調も話しぶりも違う。たとえば、冒頭に出てくる〝刑事の財布〟は、持ち主である中年刑事について、こんなふうに述懐する。

あるじは私をふくらますために、犯罪者を捕らえる仕事をしているのだ、という。他人に尋ねられれば、必ずそう返答をする。

よしんばそれがあるじ一流の照れが言わせるものだとしても、私はあるじに同情する。私はふくらんだためしがない。

それぞれの財布には人間並みの知力があり、聴力と視力を備えている（ポケットやバッグの中に入っているときは、音は聞こえても目は見えない）。とはいえ、自分から新聞を読んだり電話をかけたりできるわけじゃないので、ふつうの一人称小説の語り手とくらべると著しく情報が制限される。その制約の中でひとつひとつの財布の物語を完結させたうえで、読者がそれぞれの話をつなぎ合わせることで、しだいに事件の全体像が浮かび上がってくる……という仕掛け。名手・宮部みゆきのテクニックが遺憾なく発揮された、寄木細工のように精巧なミステリーなのである。

この連作の最初の一編となる「刑事の財布」が発表されたのは、〈別冊小説宝石〉一九八九年十二月初冬号。宮部みゆきが『パーフェクト・ブルー』『魔術はささやく』で単行本デビューを果たしたその年にあたる。この時点で、著者はまだ弱冠二十八歳、バリバリの新人作家だった。もとから連作の構想はあったものの、まだこのときは「試しに一本書いてみて」という段階だったため、編集部の反応次第では、短編一本だけで打ち切りになってもしかたがないという覚悟だったとか。しかし、さいわいにして編集部の評価は上々。佐野洋の連載評論「推理日記」でも絶賛され、シリーズ継続が決定。〈小説宝石〉に舞台を移して、以後九回にわたり掲載される（90年1・5・9・12月号、91年2・5・9・12月号、92年2月号）。

この十編に、書き下ろしのエピローグ「再び、刑事の財布」を加え、九二年九月に光文社からハードカバー単行本として刊行されたのが、本書『長い長い殺人』である。

ちなみに、雑誌連載時の通しタイトルは、「十三の財布の物語」。もともと、井上ひさしの名作『十二人の手紙』が念頭にあり、十二の財布の話にエピローグの財布をつけると十三になるから、ミステリーの題名にぴったりだと考えていたという。しかし、登場財布は十個で決着がついたため、新しい題名が必要になった。そこで、いぬいとみこの『ながいながいペンギンの話』をもとに〝ながいながい殺人の話〟というタイトルを考えたものの、ミステリーには不似合いじゃないかという意見が出て、最終的に、現在の〝長い長い殺人〟に落ちついた。もとはといえば、財布の話がいくつも長く続いていくから、という理由で生まれた題名だったのに、〝の話〟をとってしまった結果、「長い殺人っていったいなんのこと？」と首をひねる、不思議なタイトルになったわけですが、謎めいているからこそ印象に残るとも言える。そのせいかどうか、二〇〇七年にWOWOWでドラマ化されたときも、原作の題名がそのまま使われている。ドラマ版「長い長い殺人」の監督は麻生学、脚本は友澤晃一。刑事役は長塚京三、探偵役は仲村トオル、塚田和彦役は谷原章介、森元法子役は伊藤裕子、早苗役は西田尚美。その他、平山あや、大森南朋、吹越満、谷村美月、酒井美紀、石井正則、窪塚俊介などが脇をかためるオールスター・キャスト。DVD化もされているので、未見の方はぜひどうぞ。

それにしても、なぜ財布だったのか。この新装版刊行を機に行ったインタビューで、著者はこんなふうに語っている。

当時も、若手の作家仲間に、こういう小説を考えてるって話したら、みんなおもしろがってくれたんだけど、「なんで財布なの？」って言われて、「やっぱりお金は大事だから。懐具合っていうぐらいで、ほら、心臓に一番近いとこにいるじゃない」と。男の人は背広の胸ポケットに財布入れるしね。でも、なぜ財布なんでしょうね。「お金の出入りには、事件性がつきまとうから」とか、あとづけの理屈はいろいろ言ったんですけど。やっぱりおもしろいと思ったのかなあ。わたし自身、財布が好きなんです。お金以外のものもいろいろ入れますしね。外したピアスとか、取れちゃったアクセサリーとか、お守りもずっと入れてるし。

これ、ＷＯＷＯＷでドラマ化されたとき、律儀に財布を語り手にしてくれて。あれは小説だからおもしろいのであって、映像で財布を映して財布が独白したって視聴者にはおもしろくないから、別に財布にしなくていいですって言ったのに、ちゃんと財布にしてくれたんですよ。それぞれの財布の性格が、画面でも絵になってたから、「すごいなあ、やってくれたよ」と感動しました。

わたし自身がいま使ってるのは、コッコフィオーレというメーカーさんの財布。ここのところ毎年誕生日に姉がプレゼントしてくれるんで、自分では買ってないんですけど、非常に使いやすい、汚れたらガラス拭きで拭けばいいっていう、こういう長財布です。うん、そう、筆箱みたいでしょう？　筆箱も出してるの、このメーカーさん。これも、お守りとか薬とかいっぱい入ってる。それで今日ちょっと膨らんでるんです。「宮部の財布はデカかった」と（笑）。

あと、小銭入れもけっこう好きでいっぱい持ってるんですね。で、この連作の中に、一回、小銭入れを交ぜようかと思ったんです。でも、小銭入れはコインだろ？　ガチャガチャうるさいよね、とか思って。で、結局、子供の財布にしたんです。

さて、財布談議を聞いていただいたところで、ここから先は本書の中身について、若干、立ち入ったことを書くことになる。くれぐれも、本編を読了後にお読みください。

本書については、〝財布が語り手〟という特徴ばかりがクローズアップされがちだが、じつは財布たちが語る事件のほうも、その後の宮部みゆき作品にダイレクトにつながる重要なテーマを扱っている。なかなか事件の全貌が見えてこない仕掛けになっているので、ここであらためて、小説の全体像を整理しておこう（本文の未読の方はご注意ください）。

本書で語られる事件は、保険金交換殺人。

発端は、ある晩、轢き逃げされた男性の死体が見つかったこと。被害者はメーカー勤務の会社員、森元隆一、三十三歳。検視の結果、自動車に引きずられて瀕死の状態にあるとき、頭部を何者かに殴打されて絶命したことがわかり、殺人事件と断定される。

被害者には高額の生命保険が掛けられていたことが判明し、八千万円の死亡保険金の受取人である妻の森元法子に疑惑の目が向けられるが、事件当夜、彼女には完璧なアリバイがあった。

だがやがて、法子の不倫相手と目される男、塚田和彦の存在が浮上。塚田の前妻もまた、何者かに轢き逃げされて死亡していることが明らかになる。隆一殺しは、法子と和彦が共謀した、保険金目当ての交換殺人ではないか……。

疑惑が深まるなか、今度は塚田和彦の新妻が他殺死体で見つかる。高級レストランを経営する三十六歳の塚田と、塚田とのダブル不倫をあっさり認めた二十八歳の美女・森元法子は、渦中の人物としてマスコミに追い回されることに。懸命の捜査にもかかわらず決定的な証拠は見つからず、ふたりはメディアに出て無実を訴えつづける……。

著者インタビューによると、発想のヒントになったのは、アメリカで実際に起こった、男が愛人の女性と組んで、新婚の奥さんに保険を掛けて殺した事件だったという。

後半、疑惑の人物がメディアに追いかけられるうち次第にスターになってゆくという展開は、いわゆるロス疑惑（三浦和義事件）が下敷き。

〝冤罪の犠牲者としてテレビに出演し、脚光を浴びる犯人〟は、一九九五年発表の「燔《はん》祭《さい》」にもちらっと登場するが、このモチーフに関しては、もうひとつ、宮部ファンならすぐに思い出す大長編がある。著者自身は、それについてこう語っている。


これ（『長い長い殺人』）、自分でもストーリーを忘れてて、ＷＯＷＯＷでドラマ化してもらうときに、シナリオの準備稿をもらって読んで、「ずいぶんアクロバティックに、今風に変えてくれたんだね」って大沢オフィスのスタッフに言ったら、「原作どおりでまったく変わってませんよ」って言われて（笑）。あわてて読み直したら、本当に忠実にやってくださってて。それで、改めて思ったんですけど、これって、プレ『模倣犯』なんですよね。

テレビを利用し、目立ちたがる殺人犯であることと、非常に冷酷であることと、一種の群集劇であることと……。『模倣犯』では男同士の、ある種の共依存の関係というのを書いたことがいくらか九〇年代らしかったのかなとは思いますけど、「あ、『模倣犯』でやるべきことは、全部ここで一回やってたんだ」と再発見しました。

事件に関わってメディアを利用して名を上げるというのは、かなりアメリカ的な発想ですよね。日本ではそういうことであまり得した人はいない。実際、亡くなった三浦和義さんだって、まあ、マイナスのほうが多かったですよね。あの方の人生自体は相当険しかっただろうと思うし。

こういう〝負の有名人〟が持てはやされるというのは、日本社会ではまだないだろうなと。わたしがアメリカの犯罪ものとかたくさん読んでたので、そこから来た発想なんだろうな、あまり日本的な発想ではなかったんだろうなと、『模倣犯』に関しても思いますし、いま『長い長い殺人』を読み返してみてもそう思いますね。

〈ロス疑惑の〉当時、わたしはまだ速記者をしてたんですけど、もともとミステリーはすごく好きでしたから、そのとき初めて、「ああ、世の中、ミステリー好きな人が多いのは、やっぱりどんな事件でも物語性があるからなんだろうな」と意識して報道を見た覚えがありますね。ある時点から、〈週刊文春〉で事件を追いかけてる側の方たちの物語のほうが気になってね。あの方たち、どういう物語を描いて、自分たちをその物語の中のどういう断片だと思ってるんだろうな、と。今回、『長い長い殺人』を読み直して、それを思い出したんです。それはやっぱり、これからわたしが書きたいことなんだろうなと思ったんですけどね。

ただ、ジャーナリストにしろ、わたしたちみたいにまったく架空の事件をミステリーとして書く書き手にしろ、物語をつくるということに関して、自分の役割をはき違えちゃうというか、実際以上に大きく見ちゃう傾向があるような気がするんです。ま、何でもできますからね。ただ、それは、たまたま自分の裁量が利くから何でもできるんであって、現実は自分の思いどおりにはならない。なのに、それで現実に何か影響を及ぼせるんだと思ってしまうと、これは非常に危険だと思うんですよね。
書いている本人が、ある種ＰＴＳＤ的になってしまう場合がある。わたしも一時期そうでしたけどね、『模倣犯』書いたあと。なんてイヤな話なんだと思って。なんでこんな唾棄すべき犯人像を書いてしまったのかと。あの犯人ってかなりの部分、わたしとイコールなんで。つまりあれは、ものをつくる人間の狂気みたいなものを書いたんでね。自己表現したい人間の暴走を書いたから、そのままわたしの暴走でもあったんで、ものすごく嫌で嫌でずいぶん引きずりましたけども、今になって考えてみると、あんまり引きずり過ぎちゃうのも、それは一種の自己中でね。そこまで考え込んでしまうというのは、少し自分のやったことを大きく見積もり過ぎてたかなという。やっと最近になって整理がついて、バランスがとれるようになってきたかなという気はします。そこに至る道のりが、今回この時期のものを読み返してみて、「ああ、なるほどな」と納得がいった気がします。

長い長い引用になってしまったけれど、一九八九年に開幕した『長い長い殺人』のテーマが、二〇〇一年刊行の『模倣犯』に発展し（さらに続編の『楽園』を経由して）現在にまでつながっていることがよくわかる。本書は、宮部みゆきの超絶技巧のショーケースであると同時に、重要な原点のひとつなのである。

一九九七年五月　カッパ・ノベルス（光文社）刊
一九九九年六月　光文社文庫刊

光文社文庫

光文社文庫プレミアム

長《なが》い長《なが》い殺人《さつじん》

著　者　宮《みや》部《べ》みゆき

2011年7月20日　初版1刷発行
2021年12月20日　26刷発行

発行者　鈴　木　広　和
印　刷　堀　内　印　刷
製　本　ナショナル製本

発行所　株式会社　光　文　社
〒112-8011　東京都文京区音羽1-16-6
電話（03）5395-8149　編　集　部
8116　書籍販売部
8125　業　務　部

ISBN978-4-334-74971-2　Printed in Japan

組版　堀内印刷